POUR UN ENSEIGNEMENT
DES ARTS PLASTIQUES ET VISUELS

COLLECTION SCIENCE DE L'ÉDUCATION
sous la direction de Daniel Zimmermann

Anne-Marie Boutet de Monvel

POUR UN ENSEIGNEMENT DES ARTS PLASTIQUES ET VISUELS

LES ÉDITIONS E S F

17, rue Viète, Paris 17e

ISBN 2-7101-0060-6

TABLE DES MATIÈRES

CHAPITRE 3

LA LEÇON D'ARTS PLASTIQUES ET VISUELS

● PRESENTATION D'UNE METHODE.

● AUTRES METHODES ACTUELLEMENT PRATIQUEES

CHAPITRE 4
LA CULTURE ?

CHAPITRE 5
PARTIR DE L'EXPERIENCE DE L'ENFANT

INTRODUCTION

C E livre s'adresse aux enseignants désireux de ne pas esquiver, ou ne pas dispenser aveuglément, l'enseignement du « dessin ».

Les pratiques pédagogiques variées que j'ai eu l'occasion de connaître, l'évolution de la mienne, les observations et les expériences réalisées par les élèves-institutrices, le dénuement, l'inquiétude de certains instituteurs venus se recycler à l'Ecole Normale, sont à l'origine de la réflexion proposée. Les nombreux exemples cités entre guillemets sont la relation de faits couramment observés dans les classes élémentaires et pré-élémentaires. En principe, ils ne comportent pas d'interprétation et je ne me suis pas permis d'en modifier le style, même quand il laissait à désirer. Les faits exceptionnels ont été laissés de côté.

Dans l'ensemble, ce livre est écrit en termes simples. Quand l'usage d'un vocabulaire spécialisé n'a pu être évité, le sens dans lequel les mots sont employés est précisé. Est également précisé le sens de mots d'un usage très courant mais qui donnent lieu à des malentendus.

L'analyse de la pédagogie du « dessin » révèle une telle méconnaissance de l'art que je me suis résolue à exposer un ensemble d'éléments théoriques indispensable à qui veut enseigner les arts plastiques et visuels. Cette réflexion sur l'objet théorique d'un enseignement appelle un examen comparé des méthodes actuellement en usage. Le savoir à transmettre étant défini, le choix d'une méthode dépend des finalités poursuivies : selon la façon dont il conçoit la pratique de l'art — entendue au sens large incluant la fréquentation des œuvres — l'enseignant choisit la méthode capable de transmettre les attitudes fondamentales requises. Craignant que le renouvellement actuel des savoirs transmis entraîne, sous le titre alléchant d'« alphabétisation plastique », un nouvel académisme, je me suis risquée à l'exposé très complet d'une méthode applicable dans le cadre de l'école telle qu'elle est.

Pourquoi cette dénomination longue et compliquée : « arts plastiques et visuels » ? J'aurais aimé dire plus simplement : « arts visuels », comme on dit : « arts musicaux », mais j'ai craint que cette dénomination ait un sens spécialisé. Donner forme à la matière et même à la lumière ; percevoir la réalité selon des catégories d'ordre esthétique, tel est l'objet de l'apprentissage des arts plastiques et visuels ; il implique le *faire* autant que le *regard*.

L'abandon du terme « dessin » n'indique pas un rejet. Simplement, le dessin étant un aspect, parmi les autres, des arts plastiques et visuels, il n'y a pas lieu de le privilégier. Mais pourquoi a-t-il eu ce privilège ? Le premier chapitre de ce livre permet d'approcher ce problème.

1

LA " LEÇON DE DESSIN "

L'examen comparatif de nombreuses leçons montre que l'enseignement du « dessin » dépend étroitement des conditions matérielles offertes par l'école et de certaines de ses orientations pédagogiques générales.

Il révèle également la constance et la netteté des choix esthétiques transmis.

Il laisse deviner, à travers certaines pressions, velléités, rejets, une éthique qui peut être vue comme le résultat des contraintes matérielles et pédagogiques ou, au contraire, comme ce qui les détermine. Le lecteur pourra interpréter les faits en fonction de ses options personnelles.

les conditions matérielles

L'espace

PLANS HORIZONTAUX. Dans les classes les tables auxquelles prennent place les enfants, occupent en général tout l'espace. Ces tables offrent une surface réduite qui ne permet pas l'utilisation d'un format supérieur au « quart raisin » (24/32), car il faut faire place, en outre, au pot-à-eau et à la palette. Quand un enfant se trouve seul à une double table, l'emploi du format « demi-raisin » (48/32), est possible, s'il pose les accessoires sur le banc.
A part un morceau d'estrade devant le tableau, il ne reste généralement pas de sol disponible pour l'étalage de supports de grandes dimensions.

PLANS VERTICAUX. Les murs, occupés par de grandes baies côté cour et côté couloir, portent d'étroits panneaux d'affichage confinés entre des baguettes en relief, des porte-manteaux parfois, quelques plans verticaux restant disponibles pour la peinture, — ce qui ne veut pas dire qu'ils soient utilisés — portes d'armoires, panneau inférieur de la porte de séparation entre les deux classes. Pratiquement, l'enfant ne peut donc se trouver en tête à tête avec son œuvre placée verticalement.

Dans bien des classes maternelles, il serait possible de livrer aux enfants quelques plans verticaux, les classes étant moins encombrées que celles des écoles primaires. Mais le « coin-peinture » est souvent limité à deux, trois ou quatre chevalets sur lesquels les enfants vont peindre à tour de rôle. Cette disposition a le mérite d'isoler l'enfant, de le placer face à ce qu'il fait. Mais le travail « à la verticale » constitue l'exception, le luxe ; le travail assis devant une table la norme, le « naturel », l'habitude.

LES RECOINS. Dans les classes des écoles maternelles, il arrive que des meubles soient mis en épi, mais cette pratique rendrait impossible les déplacements dans la plupart des classes d'écoles primaires. Aussi les recoins font-ils défaut. Il en résulte une présence continuelle du regard d'autrui, du regard sur autrui, qui ne veut pas dire « socialisation » ; une impossibilité de se retirer, de se replier sur soi, très défavorables à la concentration, à l'expression personnelle, comme à la vie par petits groupes. Le cadre architectural et social prennent un caractère inutilement oppressif puisqu'il ne peut se justifier, comme dans le secteur tertiaire, par une utilisation et une surveillance rationnelles de la main d'œuvre. Quand il arrive de voir, fait extrêmement rare, une classe installée dans un appartement, on est frappé par le grand bonheur des enfants et par le climat différent que prend la vie scolaire. Les enfants peuvent disposer de plans verticaux, horizontaux et de recoins pour leurs diverses activités ; l'expression et la créativité deviennent possibles.

LES DÉPLACEMENTS, canalisés et limités par l'étroitesse des allées sont, dans la majeure partie des cas, le privilège du maître. Les enfants se mettent rarement debout pour travailler. Encore moins ont-ils l'habitude de prendre du recul pour examiner leur travail. Au C. P. : cours préparatoire : « Une petite fille s'est mise debout pour dessiner, une deuxième l'imite ; bientôt la maîtresse demande que l'on reste assis ».

LE MOBILIER EN SURPLUS. Dans les cas où il pourrait rester un peu de place grâce à une diminution d'effectif par exemple, les classes sont encombrées de mobilier en surplus qu'il est pratiquement impossible de faire enlever. Ces « meubles-pièges » barrent le passage ou occupent l'unique mètre carré qui aurait pu devenir le « coin-atelier ».

LES SALLES SPÉCIALISÉES où il serait possible de pratiquer de grands formats horizontaux ou verticaux, de prendre du recul, de se déplacer aisément, de « bricoler » sur de grandes tables ou un établi sont absentes des écoles, ou rares.

Le matériel

Les enseignants déplorent le manque de crédits, le matériel est donné « au compte-gouttes ». Il est très normalisé, à cause du manque de place, de la difficulté du rangement et des impératifs imposés lors de l'établissement des commandes.

DANS LES ÉCOLES ÉLÉMENTAIRES, pour la séance de dessin, on va chercher « de l'Ingres » (papier léger à fines gaufrures longitudinales) chez le directeur : « Qu'allez-vous leur faire faire exactement car vous savez, les enfants gâchent le papier, souvent ils font n'importe quoi, etc... J'espère que vous n'allez pas leur donner cette feuille entière... ». L'armoire de la classe contient quelques rails de couleurs en pastilles, prêtés aux défavorisés qui n'ont pas de boîte de peintures, une série de pots pour mettre l'eau, et les plastiques destinés à protéger les tables. La craie à tableau est très rarement utilisée.

LES ENFANTS POSSÈDENT généralement une boîte de peintures, un pinceau à trois poils, des feutres plus ou moins usés qui ont pris le relais des crayons de couleurs, un crayon noir, une gomme.

LES FORMATS UTILISÉS. Voici les résultats d'un questionnaire très limité, effectué dans quelques classes parisiennes :

— Le 1/16 raisin (16/12), a été utilisé 5 fois, soit dans 10 % des cas
— Le 1/8   »   (24/16)   »   18   »   36 %
— Le 1/4   »   (24/32)   .   22   »   44 %
— Le 21/27   »   4   »   8 %
— Le 1/2   »   (65/24)   »   1   »   2 %

Il est à noter que l'utilisation du 1/4 raisin est le fait des professeurs spéciaux de la ville de Paris.

Cette limitation du format, jointe à la station assise, empêche à peu près toute expression de la gestualité. Seuls entrent en jeu les muscles de l'avant-bras et de la main. Le reste du corps est mis hors-circuit. Si je ne mentionne que des formats, c'est-à-dire des dimensions de surfaces, c'est que les travaux en relief et en trois dimensions sont pratiquement absents des écoles.

Le temps

Les horaires officiels de « dessin » sont faibles, mais les enseignants les trouvent sans doute excessifs puisqu'ils ne les respectent pas sur les emplois du temps, et encore moins dans la réalité. Un questionnaire réduit sur les horaires pratiqués dans 41 classes parisiennes a donné les résultats suivants :

— 24 classes pratiquent un horaire inférieur à 1 heure hebdomadaire,

— 17 classes pratiquent un horaire égal ou supérieur à une heure hebdomadaire : sur ces 17 classes, 7 ont un professeur spécial de la ville de Paris.

— Au C. M. 1 : Cours moyen 1re année : « Enfin les élèves devaient se dépêcher, terminer leur dessin à telle heure : « ne rêvez pas comme ça, dépêchez-vous, à quoi pensez-vous... »

— Au C. M. 2 : Cours moyen 2e année : Parmi les qualités permettant de voir « quelles sont les élèves bonnes en dessin », la « vitesse de réalisation » est citée.

— En maternelle, section des moyens : « Initiation aux mathématiques : les enfants ont beaucoup de mal à colorier un poisson ; beaucoup ne comprennent pas quels poissons ont la tête en bas.

La maîtresse promet un gâteau à celui ou celle qui finit le premier les trois poissons ».

L'horaire réduit entraîne une recherche de l'efficacité, c'est-à-dire de résultats tangibles obtenus en un temps minimum, au détriment de la créativité, du tâtonnement expérimental. Il donne à la séance de « dessin » un caractère exceptionnel qui rend impossible la maturation.

La propreté

règne. Les classes ne sont pas conçues comme des ateliers, mais comme des appartements petits-bourgeois, où les plantes vertes prennent la place des créations enfantines.

— On n'a pas le droit de planter des punaises dans les murs.

— On n'a pas le droit de faire de la poussière.

— On n'a pas le droit de salir par terre. Il arrive de rencontrer des classes de maternelle où l'on met une serpillière sous les pieds des bambins... pour protéger un sol de grès-cérame ! Inutile de préciser comment, dans ces conditions, les enfants se sentent à l'aise pour s'exprimer, reculer, danser devant leur dessin, faire couler la peinture... Dans certains lycées, la salle de dessin est encaustiquée.

— On n'a pas le droit de salir les murs : dans beaucoup de classes de maternelle, le « coin-peinture » est protégé par un plastique, nettoyé après chaque séance, afin que le mur ne porte pas de traces de couleur. De telles traces auraient en effet l'inconvénient de montrer que la classe est un endroit où l'on crée, que les murs sont la possession des enfants et non celle des adultes ; de plus, elles susciteraient chez les enfants l'envie de peindre. Au-delà de l'école maternelle, le problème ne se pose plus car il n'y a pratiquement plus de « coin-peinture ».

— On n'a pas le droit de salir les tables. Aussi les protège-t-on de plastique aux couleurs agressives, soulevant le papier à dessin ou provoquant de ses plis mous l'inclinaison du pot à eau, n'absorbant ni l'eau ni les taches. Ces rectangles de plastique sont nettoyés, pliés et rangés dans l'armoire en fin de séance. L'on chercherait en vain, dans les classes actuelles, la belle table patinée, incisée de graffiti : elle n'existe plus... que dans les peintures de DUBUFFET.

— On n'utilise pas les palettes : couvercles des boîtes de peintures, pour ne pas les salir :

— Au C. M. : « J'ai remarqué que les enfants hésitaient à mélanger leurs peintures, parce que ça salit la boîte... »

— On n'a pas le droit de se salir : le port de la blouse est en voie de disparition. Il faut donc prendre garde de ne pas tacher le devant de la robe ou du pantalon et surtout de ne pas frotter l'avant-bras ni l'extrémité des manches, dans la couleur, la colle ou le fusain. Dans les écoles maternelles, les enfants disposent presque toujours de « tabliers à peinture ». C'est par contre exceptionnel à l'école élémentaire.

— Les points d'eau sont rares et ne sont pas conçus en vue d'une utilisation fréquente par de nombreux enfants.

L'ordre

Le désordre est proscrit en raison d'impératifs moraux plutôt qu'en raison des impératifs d'organisation et d'efficacité. Les moyens de l'éviter sont très simples.

— Il suffit de ne faire ni dessin, ni travaux manuels,

— de ne travailler que sur formats réduits et normalisés (faciles à ranger sous forme de piles dans l'armoire ou dans les dossiers),

— d'éviter toute réalisation en volume qui prendrait de la place et recueillerait la poussière,

— de ne pas accumuler de matériel en attente ni de travaux en cours,

— d'éviter les déplacements, car il faut que les enfants eux aussi soient en ordre.

Or, la créativité en art demanderait un milieu accueillant, la stimulation d'un matériel varié, de l'espace, du temps. L'école a la même action sur la créativité qu'un milieu stérile sur la vie.

Les exceptions

— Dans les « classes FREINET », on trouve des « coins-peinture » ou un atelier ; les enfants peuvent se déplacer et discuter entre eux ; un matériel varié, abondant, de grands formats de papier, du tissu, sont à leur disposition ; les enseignants et les enfants consacrent du temps à des réalisations manuelles, plastiques, visuelles, dont certaines sont même en volume, avec les encouragements et parfois l'aide dévouée du directeur ou de la directrice. Apparemment, le nettoyage effectif, par le personnel, de classes qui ont servi, où il y a des traces d'activité réelle, ne provoque pas de difficultés. Bref, les enseignants ne se trouvent pas dans la situation d'un garagiste qui aurait, certes, le droit et même le devoir de réparer les autos, mais à la condition expresse de ne pas répandre une goutte d'huile de moteur dans son garage encaustiqué. Je n'ai pas entendu dire que les « écoles FREINET » reçoivent plus de crédits pour le matériel et l'entretien que les autres écoles ; et ces particularités donnent à réfléchir, quelles que soient par ailleurs les réserves que nous pourrons formuler sur d'autres plans.

— Les écoles maternelles aussi font exception, disposant en général d'un matériel plus varié, et de plus de place que les classes élémentaires. Mais ces possibilités sont très inégalement utilisées selon les enseignants et les écoles.

— Ecole maternelle, section des moyens. « Les enfants utilisent facilement de nouvelles techniques en dehors du pinceau et ne sont pas à court d'idées quand on leur demande quelles sont les différentes façons de peindre : pinceaux, couteaux, bouchons, tissu, bouts de bois, doigts, rouleaux, brosse, éponges ».

orientations
pédagogiques générales

Le développement de l'intelligence conceptuelle

■ L'ACTION PÉDAGOGIQUE

A l'école, les enseignants essaient de développer l'intelligence conceptuelle des enfants en faisant le moins possible appel à l'expérimentation, la manipulation, l'action. Tout au plus la manipulation vient-elle après, pour concrétiser ou consolider la notion abstraite ; l'action intervient comme une application de la notion, permettant de vérifier comment celle-ci a été comprise.

Un exemple : La notion de couleur

— Maternelle, section des petits : « Les enfants, encore trop jeunes, ne font pas de mélanges ».

— Maternelle, section des moyens : « Pour le graphisme, les enfants disposent d'une seule couleur à la fois : la maîtresse tente d'habituer les enfants à distinguer clairement chaque couleur. Le travail fait suite à l'exercice de langage du matin. Il est donc en rapport étroit avec les autres activités de la journée, toutes centrées sur le sujet du langage. Par exemple, des fruits tels le citron, la banane, le raisin blanc, ont entraîné la rencontre du jaune. Les enfants ont utilisé cette couleur pour décorer des assiettes (dessinées par la maîtresse) avec des points jaunes ; ils ont peint une banane et une grappe de raisin (polycopiées également à l'avance) ». Plus tard, dans la même classe :

— « Initiation à la peinture, emploi de deux ou plusieurs couleurs: l'enfant cherche tout ce qui est à faire de la même couleur, en commençant par la couleur la plus claire. (...) Exercice sur l'alternance des couleurs : représenter le collier de C. en alternant une perle rouge et une perle jaune ; une fois en vraies perles, une fois sur papier ».

— Initiation graphique : « Pour les fleurs, crayons de couleurs rouge et jaune ».

— Sujet libre : « Ne pas mélanger les couleurs, ne pas passer une couleur sur une autre couleur tant que celle-ci n'est pas sèche. Les pots de peinture contiennent seulement du rouge et du jaune car ce sont les deux couleurs que les enfants connaissent ».

— Le portrait: « La maîtresse met elle-même la couleur demandée dans un couvercle et espère ne pas être dérangée trop souvent. Résultat : dessins souvent faits avec une seule couleur, parfois deux et rarement plus ».

Remarque: Cet exemple relate un cas exceptionnel, non par l'orientation pédagogique qu'il illustre, mais par la rigueur sans faille de la mise en application.

— C. E. 1 : Cours élémentaire 1re année : « J'ai remarqué que les enfants hésitaient pour mélanger leurs peintures ».

— C. M. 1 : « Mais elles ne savent pas mélanger les différentes couleurs (jaune et bleu pour donner du vert...) ».

— Autre C. M. 1 : « Le professeur spécial cherche à leur donner l'habitude de faire des mélanges au lieu d'utiliser les couleurs pures de la palette ».

— C. M. 2 : Avec le professeur spécial : « Toutes donnent l'impression de découvrir quelque chose, la notion d'arbre ainsi que la variété des mélanges ; découverte des couleurs intermédiaires : vert et marron. »

— Revenons en école maternelle, section des petits : Un fait commun : les enfants mélangent allègrement des couleurs différentes.

— Dessin de Marie-Hélène : « Oh ! s'exclamait-elle en voyant les tons qui se formaient. Il nous semble que son dessin montre un grand sens des couleurs... »
— Dessin de Serge : (...) mais cherche rarement à mélanger les couleurs (...) l'harmonie dans les rouges au centre de la peinture est toutefois très belle.
— Dessin de Danielle (...) harmonie dans les couleurs douces.

Dans cette section de petits, les enfants, disposent, comme dans la plupart des classes maternelles, de peintures diluées dans des bocaux, avec un pinceau par bocal qu'il ne faut pas mettre dans un autre bocal. La seule particularité à noter est que les couleurs n'ont pas toujours la même consistance, ce qui explique « les couleurs douces ».

Il semble donc qu'en maternelle, section des petits, les enfants n'ont pas la notion abstraite de couleur, ni de mélange, mais savent utiliser les couleurs et faire des mélanges, malgré l'obstacle des peintures en bocaux. Sans utiliser cette expérience, les enseignants cherchent à leur donner les notions de jaune, rouge, etc... A l'école élémentaire, cette notion de couleur pure est acquise, mais les enfants ne savent plus faire de mélanges. Les adultes essaient de leur inculquer cette notion. C'est une « rééducation » que tentent les professeurs spécialisés, à l'aide de la théorie des couleurs secondaires et des couleurs rompues par addition de la complémentaire. Comme cette rééducation demanderait un temps dont ils ne disposent pas, elle ne peut aboutir. Les enfants, devenus adultes, ont retenu de leur scolarité la notion de couleur pure et, plus ou moins consciemment, qu'une couleur pure appelle sa complémentaire.

■ LA HIÉRARCHIE ENTRE LES DISCIPLINES

Le dessin, discipline à caractère concret, semble de peu d'utilité

— Au C. P. : « Pour l'institutrice, l'art est important, mais le temps manque : tout est centré sur le savoir-lire et l'enseignement des mathématiques ; sur les murs, aucun tableau, des mots, des nombres... »

— Autre C. P. : « L'institutrice m'a dit qu'elle n'avait pas le temps de faire peindre les enfants, la préparation étant trop longue. Elle préfère consacrer tout son temps aux activités dites fondamentales, la formation esthétique de l'enfant se fera plus tard. »

— Encore plus significatif, autre C. P. : « Mais le dessin est d'une importance capitale dans la classe de C.P., où les enfants ne savent pas encore écrire. Il est leur principal moyen d'expression. Aussi l'emploie-t-on énormément :

- en mathématiques,
- en prolongement d'une leçon d'élocution, d'une leçon de choses,
- à propos d'une poésie : c'est d'ailleurs par ce biais, que la maîtresse introduit la leçon de dessin. Dans ce C. P., une leçon de dessin ou de travaux manuels a lieu chaque semaine, le mercredi, de 15 heures 15 à 15 heures 45 » Durée et situation bien révélatrices de l'« importance capitale » donnée à ces disciplines !

Au mieux, le « dessin » est considéré comme une détente ou un ornement

— Au C. P. : « Délasser les enfants », autre C. P. : « Essentiellement les détendre ».

— C.E. 1: « Quand une personne est occupée avec la maîtresse, ils savent qu'ils doivent se tenir sages et la maîtresse leur demande de faire un dessin ».

— C. E. 2 : « C'était simplement afin de calmer les enfants ; cela se passait un mercredi après-midi. »

— C. M. 2 : « Il y a un affichage des beaux dessins devant le bureau de Madame la Directrice. »

■ JUSTIFICATION DE LA DÉNOMINATION : « DESSIN »

Dès l'école maternelle, le « dessin » porte bien son nom car il se réduit, grâce à l'utilisation intensive des stylos-feutre et à l'orientation donnée par les adultes, à un *contour* qui concrétise la « *représentation mentale* et abstraite d'un objet », il ne constitue pas une expérience qui permettrait d'élaborer une telle représentation.

— Maternelle, section des moyens : « pour peindre des étoiles, ils emploient tous la même technique, car la maîtresse leur avait montré il y a quelques jours comment en faire. Ils font d'abord une croix, puis ils ajoutent des branches intermédiaires en partant du centre de l'étoile. »

La priorité du langage

Etant donné la conception que l'on a du développement de l'intelligence conceptuelle, l'intervention du langage écrit ou parlé est un préalable nécessaire à l'acte de dessiner. Les comptes rendus déjà cités en portent témoignage. Dès la section des grands de maternelle, le dessin illustrant la phrase de lecture est la règle ; le cas inverse, s'il existe, constituant l'exception. Très rares sont les leçons de dessin qui ne commencent pas par une séance de langage. Encore faut-il s'estimer heureux quand l'élocution ne dévore pas la moitié de « l'heure de dessin » ! Dans le cas du dessin à orientation scientifique, consignant des observations, celles-ci sont énoncées oralement avant d'être traduites graphiquement. Mais dans le cas tout à fait exceptionnel où l'exercice de dessin prend appui sur une perception, celle-ci est toujours dite avant d'être projetée sur le papier.

L'emprise de la logique de l'adulte

Les éducateurs accomplissent allègrement en « dessin » ce qui leur paraîtrait aujourd'hui inadmissible pour l'apprentissage de la lecture ; ce qui — heureusement —, n'a jamais été fait pour l'apprentissage de la marche ! Ils font table-rase de l'expérience pré-scolaire, extra-scolaire et momentanée de l'enfant, pour lui imposer un apprentissage allant logiquement du simple au complexe. C'est ainsi que se fait l'acquisition — ou plutôt la destruction — de la notion de couleur, décrite précédemment ; que l'enfant apprend à dessiner avant de mettre en couleurs ; à décomposer les gestes de l'écriture ; à représenter la réalité d'après des schémas simplifiés et plans qui seront remplacés enfin par une reconstruction d'une pseudo-réalité conforme aux lois de la perspective ; à dominer une technique considérée comme fin en elle-même, non comme moyen d'expression ; à transposer au « dessin », c'est-à-dire à un domaine artistique, la technique de la dissertation, qui est la réalisation en un certain ordre d'un projet dont tout est décidé à l'avance.

orientations pédagogiques spécifiques

Quels sujets propose-t-on à l'école élémentaire ?

Parmi 73 sujets, l'on peut distinguer :

  8 dessins d'après nature, sujet vaste, (dont un arbre de la cour de récréation), avec modèle au tableau ;

14 dessins d'observation : dessin scientifique ;

14 dessins de mémoire : dont 5 après un film ou une émission de télévision,
                                    4 après une classe-promenade ;

12 illustrations dont 3 de poésie, 3 de lecture ou dictée, 1 de musique ;

  6 décorations ;

  8 dessins libres ;

  5 dessins « d'imagination » : — sapin dans la neige,
                                    — 3 arbres : dessin dicté,
                                    — arbre en automne d'après modèle au tableau,
                                    — rivière avec bambous ;

  6 faux « dessins collectifs » : dessins individuels juxtaposés.

Idée normative de la représentation de la réalité

■ Le souci de « réalisme »

Le « réalisme » est le souci majeur, pour ne pas dire l'obsession, dès l'école maternelle, section des petits : « La maîtresse demande aux enfants ce qu'ils ont fait et le note sur la feuille » ; on le retrouve à tous les niveaux de la scolarité :

— Cours préparatoire, portrait du voisin : « La maîtresse complimente toujours les élèves des dessins qu'ils ont faits (...), en ce qui concerne les portraits, elle leur dit qu'ils sont très ressemblants, que cela représente bien X, qu'on le reconnaît bien, et elle prend à témoin les autres élèves ».

— C. FREINET lui-même prend le « réalisme » pour critère quand il décrit l'évolution du dessin enfantin, auto, personnage, etc. L'enrichissement de ces graphismes consiste en précisions, en additions de détails réalistes par l'enfant. « Ce n'est qu'au stade où il est maître d'une infinité de graphismes qu'il peut affronter la véritable expression ». Plus loin : « Même l'enfant retardé va améliorant sa technique vers plus de vraisemblance... »

■ LES THÈMES

• *Dessin d'après nature,* à sujet plus ou moins vaste, allant de l'arbre de la cour de récréation à la feuille d'automne posée sur la table.

• *Le dessin de mémoire* demande la représentation d'une réalité que l'enfant n'a plus sous les yeux. « L'aquarium avec des poissons » est motivé par l'émission de télévision scolaire sur les poissons, « la forêt » par la sortie à Marly, « la Seine » par la promenade en bateau-mouche...

• *Le dessin d'après un morceau de musique* consiste, dans bien des cas, à représenter l'impression ressentie à l'audition.

— C. E. 2, le cirque : Premier temps : audition de disque : « les Forains » d'H. SAUGUET. Deuxième temps : élocution : les enfants ont eu l'impression de voir des trapézistes, une dame qui monte sur un fil, des chevaux qui faisaient des tours avec des écuyères qui montaient dessus sans se tenir ; l'institutrice a même entendu un fouet. Troisième temps : dessin.

— Autre C. E. 2, Petrouchka de STRAVINSKY : « On va passer de la musique que vous allez écouter attentivement. Cette musique va vous faire penser à une scène, une histoire, un paysage. Elle va vous donner diverses impressions ». Après une première audition, les enfants disent ce à quoi la musique les fait penser : à une danseuse, à une petite fille qui se promène au bois et qui rencontre une bête, à une petite fille qui cueille des fleurs... Ensuite elles dessinent en écoutant le disque.

— Il arrive aussi que des enfants dessinent les instruments de l'orchestre.

— Mais il est très rare que les dessins cherchent à donner une équivalence de la mélodie, du rythme, des harmonies des différents timbres...

• *Le dessin d'observation* traduit le résultat d'observations faites en sciences naturelles. La représentation va de l'ensemble aux détails, ou bien opère une synthèse après l'observation des détails, quand elle ne consiste pas à copier un modèle, c'est-à-dire un schéma extrait de la complexe réalité.

— C. E. : « Chaque élève possède une crevette qu'elle a tout lieu d'observer. La maîtresse explique ensuite la composition de la crevette, en fait remarquer les différentes parties et reproduit le dessin au tableau. Puis elle efface le dessin. (...) L'une des finalités de cet exercice est de permettre à l'enfant de concrétiser ses observations en les reproduisant non pas telles que l'esprit les conçoit mais telles qu'elles sont dans la réalité ». La dernière phrase traduit-elle un aveuglement réel ou un aveuglement voulu ?

■ LES CRITÈRES DE RÉUSSITE

La vraisemblance

— Maternelle, section des moyens, exercice de remplissage : « Les contours sont beaucoup plus soignés et par là le dessin plus ressemblant et la joie des enfants plus grande ».

— Maternelle, section des grands : « Il a d'abord fallu que les enfants dessinent grossièrement une tête de cheval. La maîtresse a souvent rectifié quelques contours un peu trop déformés. »

— C. P. , portrait d'une camarade : « Pourquoi lui as-tu fait un tablier jaune... elle a peut-être un autre tablier qui est jaune ? »

— Autre C. P. : « Pourquoi n'as-tu pas habillé celui-là, il est tout nu, il ne se promène pas tout nu dans la forêt, il faut l'habiller. »

— C. E. 1, peinture avec les doigts : « La maîtresse propose de petits pots de peinture. Chaque groupe d'enfants choisit une couleur : jaune pour le sable, bleu pour le ciel, vert pour la mer. »

— C. M., une boutique de fleuriste : « les dessins comportent des maladresses : fleurs dressées sur les rayons, sans vase ; objets ne reposant pas sur les supports. »

— C. M. 2 : dessin représentant la ronde des feuilles en automne ; observation faite par un enfant : « Les feuilles ne se touchent pas, ce n'est pas une ronde. »

Les détails, pour que le dessin soit complet

— C. P. : « Fais-lui des cheveux, tu as oublié les cheveux ? Il faut lui en faire. »

— C. M. : « Le professeur a dessiné un château-fort au tableau afin de montrer tous les détails que l'on peut ajouter : créneaux, tours, porches. »

— C. M. 2 : ... « Les plus beaux dessins, avec le plus de détails... »

Respect des proportions « réalistes »

— Maternelle, section des grands, dessin d'après « Pierre et le loup » de PROKOFIEV. « Le sujet est dominé : tous les personnages y sont et il n'y a pas de disproportions trop grandes. »

— C. P. : « Tu lui en as fait de grandes jambes ! C'est parce que tu la représentes quand elle sera grande, plus tard. »

— Autre C. P. : « Regarde, tu as dessiné les arbres pas plus grands que les bonshommes, il faut faire les arbres bien plus grands que les gens (...) oh, mais dis donc, il en a des grandes jambes le papa, elles sont bien trop longues. »

Respect de la perspective

Le mythe de la perspective donnant une vision exacte de la réalité est tenace, indéracinable. L'on va même jusqu'à voir, dans une représentation conforme à ses lois, le garant d'une vision « normale » de l'exécutant ! D'après A. LHOTE, la perspective « a pour but principal de remplacer la *vision successive (et capricieuse) de chacun,* et qui tient à l'étendue de sa curiosité ainsi qu'à son degré d'émotivité, par une *vision globale impersonnelle,* pouvant servir à tous ».

Il serait possible de citer des exemples d'enseignement de la perspective à tous les niveaux de l'école élémentaire, mais ces exemples relatent des cas assez rares : dans l'ensemble, la perspective est peu enseignée. Mais cette science jouit de la considération de tous et beaucoup d'adultes et d'enfants à partir d'un certain âge, pensent qu'elle est la perfection à atteindre en « dessin », ou en art. Il est à noter que la perspective est présente, chaque année, dans les sujets du concours d'entrée dans les classes de formation professionnelle de l'Ecole Normale d'institutrices de Paris.

■ RÉFÉRENCES CULTURELLES

Le dessin « représentatif » se réfère à l'esthétique des écoles réaliste et néo-classique du dix-neuvième siècle. La conception utilitaire et positiviste dont il résulte est héritée de la même époque. Un tel retard dans la transmission des « modèles » peut surprendre. Il est tout à fait explicable si l'on observe les filières de transmission des savoirs. Conformément à la « formation artistique » qui m'a été donnée, je pourrais enseigner une méthode de représentation simplifiée des animaux dont j'ai vérifié qu'elle provenait de lithographies de Rosa BONHEUR. (R. BONHEUR vécut de 1822 à 1899. Elle triompha à l'Exposition de 1855. La grande vérité avec laquelle elle peignit les animaux, son « Attelage Nivernais » entre autres, lui valut d'être admirée de ses contemporains et décorée par l'Impératrice Eugénie). De plus je devrais enseigner le dessin d'après modèle, conformément à un académisme « sous-ingresque », aux lois de la perspective, à la « vérité anatomique ». Ces savoirs pourraient être perpétués par mes anciennes élèves, dans les écoles primaires, très largement au-delà de l'an 2000. Par contre, il est permis d'espérer qu'ils ne peuvent plus faire partie de la formation actuelle des professeurs.

Idée normative du « beau » : un « beau » conventionnel

■ LES SUJETS

Certains thèmes passent pour être « artistiques », ou « pittoresques », ou adaptés aux enfants : l'écureuil empaillé vu de profil, le clown, le chamois dans la montagne, le sapin dans la neige, la coupe de fruits, le bouquet de fleurs, les poissons japonais...

— C. M., dessin libre : « Les sujets de ces dessins sont divers et dépendent de ce que l'enfant connaît, aime ou souhaiterait être ou posséder : une danseuse, une skieuse, une fleur, des dessins géométriques... »

— Les « dessins FREINET » traitent les thèmes classiques du « dessin libre », avec la particularité d'une tendance animiste : femmes-fleurs ou fleurs-femmes, soleils à visage humain, etc...

— Les reproductions ornant les couloirs des écoles ont des thèmes spécifiques : bébés, enfants, adolescents avec une nuance méridionale du type ou de l'atmosphère ou une expression aimable, maternités, personnages dans la nature, paysages ensoleillés, bouquets, chevaux. Les « poulbots » sont bien représentatifs du genre de thèmes appréciés.

■ LES MODÈLES

— Des schémas conventionnels de ces thèmes sont donnés en modèle dès l'école maternelle, en initiation graphique (canards, bateaux, souris...) ; il est à noter qu'ils font déjà partie de la culture de l'enfant : décoration des draps, vêtements, livres vendus dans le commerce.

— Maternelle, section des grands : « Pour Noël, réalisation d'un petit ange, cône en carton, deux ailes, tête en pâte à papier ».

— C. P. : Les panneaux illustrant la méthode de lecture Daniel et Valérie sont un exemple connu de tous et massivement diffusé.

— Au C. P. toujours, confection d'un masque : « la maîtresse a donné aux enfants un modèle de loup dont elles devaient représenter le contour sur un carton avant de le découper. »

— Dans les classes FREINET, les modèles ne sont pas reconnus comme tels mais sont efficacement diffusés par les publications et les dessins qui voyagent d'école en école. L'influence des modèles est reconnaissable au style et à certains détails : grande bouche à lèvre supérieure sinueuse, ou petite bouche indiquée par une parenthèse ouverte vers le haut, yeux agrandis par une bordure de longs cils : éléments qui donnent à tous les visages une expression commune. Addition jusqu'à la surcharge de signes décoratifs, à l'intérieur des motifs, le long de leur contour et dans le fond : gribouillages, points, cercles, festons, zigzags, quadrillages, rayures, formes sinueuses, écailles, triangles, compartimentages, spirales, etc...

■ LES FORMES

• La stylisation consiste à simplifier les formes avec une tendance à la géométrisation, elle peut être considérée comme une variante de la décoration.

— C. E. 1 : « La maîtresse m'a demandé, la veille, de schématiser l'armature d'un hibou et d'en faire un exemplaire sur une feuille 21/27 pour chaque enfant. Elle m'a pour cela donné une fiche imprimée où étaient indiquées les lignes de construction du hibou (cercles concentriques, ovales, etc...) »

— Les « dessins FREINET » sont reconnaissables, sur le plan des formes, à leur mollesse : les contours sont indiqués par un cerne sans tonus.

• Rapports de proportions attendus et reposants, régularité, symétrie, sont appréciés. Les formes ne doivent rien comporter qui soit susceptible de donner lieu à des tensions.

• La netteté

— « La maîtresse leur apprend à peindre le fond sans dépasser sur le motif et sans laisser de blanc. »

— C. P. : Portrait d'un camarade, remarque au sujet du contour : « Fais comme lui, regarde : il appuie. »

— C. M. : « Le professeur lui a dit que les contours n'étaient pas assez visibles et lui a suggéré de les repasser en rouge ».

J'ai eu maintes occasions de voir des adultes conseiller aux enfants de « repasser à la peinture » les limites des motifs afin de rendre ceux-ci évidents, lisibles.

— Dans les « dessins FREINET », l'emploi d'un large cerne est généralisé.

■ LES COULEURS

Action pédagogique

— Maternelle, section des grands : « La maîtresse les laisse dessiner librement, mais leur fait certaines remarques pour leur faire prendre conscience de certains détails omis (pieds, cheveux, queue) pour mettre de *belles couleurs.* »

— C. P. : Le petit chaperon rouge dans la forêt : « La scène se passe au printemps, *il faut* donc *utiliser des couleurs vives :* jaune, rouge, blanc, vert. »

— C. E. 1 : peinture avec les doigts, exemple déjà cité : sable *jaune,* ciel *bleu,* mer *verte.* « Quand la feuille est remplie et les taches sèches, la maîtresse donne à chacun des groupes un petit pot de peinture rouge pour figurer les détails. »

— C.M. : poissons extraordinaires dans un aquarium : « *Fond* de l'aquarium : du *vert au bleu,* sur lequel on collera des poissons et des coquillages. Choix des couleurs pour les *poissons :* éviter les couleurs sombres, choisir du *rouge, du jaune vert, de l'orange ponctué de noir* ».

— C. M. 2 : « Il s'agit d'apporter aux fillettes la notion de mélanges de couleurs que l'on peut associer pour en trouver une autre, si possible « *belle* ».

Couleurs contrastées, complémentaires, telle est la notion de beau qui s'affirme comme un postulat dans les exemples cités. Il se dégage aussi l'idée que certaines couleurs sont « belles » et certains rapports de couleurs « beaux ».

Conditionnement matériel

L'utilisation des couleurs en poudre ne semble pas poser de problème aux enseignants.

— Elle oblige pourtant à imposer l'interdiction de faire des mélanges. Ne jamais mettre le pinceau du pot de jaune dans le pot de rouge est considéré comme une acquisition importante, une bonne habitude.

— Quelques fois il est permis à l'enfant de faire des mélanges dans des couvercles. Par exemple, un violet est obtenu en faisant tomber une goutte de rouge du pinceau de rouge, un goutte de bleu du pinceau de bleu, puis en mélangeant le tout avec un troisième pinceau. Faire des mélanges de cette façon est à peu près aussi subtil que saler un litre de potage en y ajoutant un kilo de sel, mais je n'ai encore rencontré personne qui s'en inquiète.

— Les rapports de couleurs produits par ces peintures liquides sont très intenses et contrastés. Le regard des enfants s'en imprègne, leur perception en est émoussée. Ce registre de couleurs tend implicitement à être reconnu comme un modèle de beauté puisque l'adulte le propose, ne le critique pas, s'en émerveille.

— Les couleurs en tubes, conditionnées de façon à permettre les mélanges donnent, paradoxalement, les mêmes résultats, l'usage de la palette étant ignoré.

Décoration des classes

Les dessins qui ornent les classes et les préaux des écoles maternelles sont choisis parmi les plus nets, les plus hauts en couleur. La décoration des différents coins est prétexte à juxtaposer des tissus de couleurs et motifs variés.

— Dans les écoles primaires, les formats pratiqués et le nombre réduit des dessins permettent de les cantonner aux panneaux d'affichage. Une habitude répandue consiste à isoler les dessins par une marge, ce qui revient à rendre les contours nets, à multiplier et accentuer les contrastes de couleurs.

■ LA TECHNIQUE.

Deux notions très différentes de la belle technique coexistent à l'école :

Exécution habile, soignée, « industrielle »

Un dessin est beau dans la mesure où il ne porte pas la marque de son origine humaine et semble avoir été exécuté par une machine. La perfection recherchée ressemble à s'y méprendre à celle d'un beau mur de cuisine en peinture laquée. Le « don » en dessin est presque toujours assimilé à cette habileté.

— Maternelle, section des moyens, initiation graphique: « L'enfant apprend à colorier en hauteur, en largeur, en rond, à ne pas changer de sens dans une figure, à bien tenir sa feuille de la main gauche pour qu'elle ne bouge pas, à employer peu d'eau, à suivre une ligne ou le contour d'un dessin très simple. « Ne serait-il pas possible d'initier à l'écriture sans nuire à l'expression artistique ? »

— Maternelle, section des grands : réalisation par chaque enfant d'un cheval-marotte de sa taille : « La maîtresse leur demandait aussi de peindre toujours dans le même sens, de faire attention de ne pas faire couler la peinture. »

— C. P. : « But des exercices : faire acquérir une plus grande adresse, développer les gestes, la rapidité des mouvements. »

— Autre C. P. : « Ils doivent apprendre une technique qui vise essentiellement à développer leur habileté manuelle : lignes droites, contrôle de la densité de la peinture, absence de taches, régularité des détails... »

— C. M. : « Après cet exercice (un dégradé), Madame X a voulu se rendre compte de leur habileté à manier un pinceau et à tracer des traits. Sur le fond dégradé, elle a fait tracer deux arbres (...) But : voir la délicatesse, la finesse, la précision du dessin. »

— C. M. 2 : « Chaque élève possède une carte de France en matière plastique dure et transparente dont elles n'ont qu'à suivre le contour. A travers cet exercice, on a vite fait de voir quelles sont les élèves bonnes en dessin : propreté, netteté, précision, vitesse de réalisation, parfois fantaisie... »

— Autre C. M. 2 : « D'autres mettent beaucoup d'eau dans leur peinture, ce qui fait des taches irrégulières de couleur et ne donne pas au dessin la netteté voulue (...) Une élève, nettement agacée par son dessin « raté » : couleurs diffuses se mélangeant, etc, l'a chiffonné. »

L'exécution voyante.

L'on peut lui appliquer ce mot d'INGRES, disant que la touche est la « qualité des faux talents ». Elle est très appréciée puisque les fausses peintures de style commercial sous-impressionniste, sous-fauve, et même sous-Bernard BUFFET ont littéralement envahi les escaliers et couloirs des écoles, attirant les yeux par leur technique ostentatoire ! Ne peut-on craindre que cette exécution voyante soit bientôt enseignée aux élèves ?

■ RÉFÉRENCES CULTURELLES.

Le « beau » conventionnel se réfère à une sous-culture commercialisée, répandue en particulier par la décoration à bon-marché : affiches, vêtements, gadgets, serviettes en papier, cartes de vœux, albums pour enfants, vendus dans les magasins à grande surface. Ce « modèle » de beau est efficacement diffusé, avec peu de décalage dans le temps, par les magazines féminins, les fiches et livres de recettes de dessin et de travaux manuels. Nous sommes toutefois à un moment charnière et cette sorte d'ouvrages se met à brusquement proposer, à côté de la « sous décoration », le « sous-art-moderne », en particulier le « sous-P. KLEE », avec une tendance non figurative. Le virage est observable dans quelques classes traditionnelles comme dans quelques classes « FREINET » où les deux sortes de dessins coexistent étrangement. Ces nouveaux « modèles » seront analysés avec la méthode formaliste.

Quel que soit le contenu qui lui est attribué, l'existence du « beau » est rarement mise en doute.

■ CONCLUSION.

S'il est vrai que, dans certains cas, le crayon et la couleur sur papier ont servi de moyens aux artistes, ce n'est pas pratiquer l'art que d'utiliser les mêmes moyens à d'autres fins. On est bien obligé de constater que l'objet de la « leçon de dessin » est un faux objet, un ersatz, un « modèle », n'ayant avec l'art aucun rapport.

attitudes manifestées et transmises par l'enseignement du dessin

Ce qui est inculqué

LA FORMATION DU GOÛT est souvent citée parmi les objectifs de l'éducation ; « former le goût » des enfants équivaut à vouloir transmettre son propre goût, considéré comme étant le « bon goût ». Le manque d'inquiétude que laisserait supposer l'action pédagogique sert à masquer un malaise plus ou moins conscient : aucune justification théorique ne peut légitimer les savoirs transmis.

— Au C. P. : « La maîtresse impose le graphisme, la disposition du sujet, les détails à placer, l'harmonie des couleurs. Un dessin est jugé beau lorsqu'il est : régulier, détaillé, contrasté, réaliste, centré... »

LES JUGEMENTS DE VALEUR. Dans l'ensemble, les enseignants évitent de donner directement leur opinion sur les dessins. Leur jugement s'exprime de façon moins directe, mais non moins coercitive :

• par les choix esthétiques inculqués (modèles, décoration de la classe) ;

• la notation parfois ;

• des justifications morales : le manque de soin, par exemple, suscite le blâme ;

• la mimique silencieuse : « Après, l'institutrice a regardé les dessins un à un, en citant le nom de l'auteur et en les présentant à la classe. Aucun commentaire n'a été fait mais sa physionomie était expressive. » ;

• la valorisation des dessins jugés réussis.

LE CONFORMISME. Au long de sa scolarité, l'enfant apprend donc à se conformer au goût et aux jugements de l'adulte, ainsi qu'à tenir compte de l'opinion du groupe-classe .

— C. M. 1 : « Bien qu'il avait été précisé qu'il ne fallait pas le prendre comme modèle, toutes les élèves se sont empressées d'adapter leur propre dessin au schéma que le professeur avait laissé au tableau. »

— C. M. 2 : « Une fillette avait trouvé un vert rappelant exactement le vert de la mer, mais elle ne voulait plus de son dessin car il était totalement différent de celui des autres ; cela, malgré les encouragements de la maîtresse. » De tels cas de volonté conformiste de l'enfant peuvent se rencontrer dès le C. P.

Ce dont on se réclame mais qu'on ne veut ou qu'on ne peut faire passer dans les faits

L'IMAGINATION. En principe, les enseignants voudraient développer l'imagination enfantine, mais tous les faits que nous venons d'examiner montreraient plutôt le contraire. Même quand un dessin s'intitule : « dessin d'imagination », il ne donne lieu à aucune mise en œuvre pédagogique particulière. Si l'enseignant ne donne pas de modèle au départ, les enfants sont tellement décontenancés que la réalisation tourne court.

— C. M. 1 : « A la suite d'une émission de télévision sur les poissons, les enfants ont à représenter un aquarium, des poissons extraordinaires. L'institutrice leur a permis d'utiliser la planche sur les poissons de leur dictionnaire, à condition de ne pas les copier intégralement. Elle n'a donné aucune indication sur la forme, les fillettes devant donner libre cours à leur imagination. Comme elles s'affolent un peu, la maîtresse leur fait quelques dessins au tableau ». J'ai hésité à citer cet exemple, craignant qu'il ne paraisse caricatural. Pourtant, tous les faits qu'il relate découlent du contexte éducatif. Les enfants, eux aussi, ont peur de l'imagination, et leur institutrice cherche à les aider.

L'EXPRESSION. « Je les laisse s'exprimer »... Le mot exprimer étant employé à tout moment, je crois utile d'en rappeler le sens étymologique. D'après le « petit ROBERT » : « exprimer : 12ᵉ siècle ; lat. exprimere, de ex, et premere « presser » ». L'on voit que cette fonction n'est pas du domaine du futile, du non-engagement : « Art et plaisanterie, il y a du sang commun à ces deux ordres (...) pas de ces petites plaisanteries innocentes qui vous divertissent un quart d'heure, mais les très fortes, celles qui vous font sur le champ prendre en gelée, qui vous changent en pierre... » (6)

J'ai eu maintes fois l'occasion de constater que les enseignants craignent l'expression, et les « dessins » qui en résultent ; voici quelques réflexions entendues :

• archétypes réalisés par des normaliennes : « Cela ne vous fait pas peur... » ;

• masques réalisés dans un C. P. : « ce n'est pas beau », « ils sont tristes », ces deux remarques signifiant que les masques ne sont pas conventionnellement jolis et enjoués.

« Laisser les enfants s'exprimer par le dessin est aussi décevant que laisser s'envoler un oiseau qui, ayant toujours vécu en cage, ne sait pas se servir de ses ailes ».

— C. E. 1 : « Ils (les dessins) ne font l'objet, ni de compliments, ni de critiques, car l'institutrice estime que chacun est libre de s'exprimer par le dessin, selon ses possibilités et selon ses désirs. Il n'y a qu'une chose qu'elle a relevé sans en faire part aux enfants, c'est la pauvreté de leurs dessins. La plupart d'entre elles, qui ont toutes 7 ans, ne cherchent pas à créer, elles essaient seulement de copier entre elles un modèle banal, ou bien reproduisent chaque fois, quel que soit le sujet du dessin, des fleurs, des arbres, un ciel bleu, etc... »

LA LIBERTÉ. « Liberté d'expression », « expression libre », la liberté fait peur elle aussi, quoi qu'on s'en réclame. La liberté justifie un abandon de l'enfant à lui-même (dessin libre), quand elle ne désigne pas le bâillonnement le plus strict :

— Maternelle, section des grands : « La maîtresse les laisse dessiner librement mais leur fait certaines remarques pour leur faire prendre conscience de certains détails omis (pieds, cheveux, queue...), pour mettre de plus belles couleurs... pour les faire progresser : ne pas dépasser sur les personnages quand on peint le fond, ne pas laisser de blanc... »

— Ecole élémentaire, travail collectif : le coq : « D'après une plume naturelle, chaque enfant a reproduit une plume *à son idée* et sur la silhouette du coq dessinée par la maîtresse, les enfants ont disposé les plumes *en toute liberté.* »

LA CRÉATIVITÉ. L'absence d'incitations à expérimenter, l'unicité de la réponse et de la démarche lors des exercices, ne développent pas la créativité individuelle ou collective. Il arrive que cette créativité se manifeste, clandestinement pourrait-on dire, hors du cadre des exercices proposés. Mais l'adulte fait preuve de cécité vis-à-vis de ces trouvailles qui sont généralement jetées ; rarement conservées ou valorisées ; jamais à ma connaissance, sauf peut-être dans certaines « classes FREINET », utilisées comme point de départ de recherches ultérieures de la classe. D'une façon générale, l'école se méfie des enfants créatifs qui risquent de perturber l'ordre et de ne pas être de bons élèves normalement scolarisés.

Ce qui est censuré

L'AVENTURE. La conformité à des normes permet d'éviter l'aventure. Tout est prévu, précis, délimité, simple. Les résultats seront sans surprise. Le jeu, l'imprévu, le hasard, n'auront pas leur part ; l'informe et le flou seront stigmatisés au nom de la beauté ou de la lisibilité, ou bien attribués à la maladresse.

LE PLAISIR. La définition du plaisir, par le « petit ROBERT », est la suivante : « Etat affectif fondamental, un des deux pôles de la vie affective ; sensation ou émotion agréable, liées à la satisfaction d'une tendance, d'un besoin, à l'exercice harmonieux des activités vitales. »

L'enfant trouve un plaisir à se conformer à un modèle qui, même s'il n'est pas au tableau préexiste dans l'esprit de l'adulte.

LES SENSATIONS. Ce ne sont pas les sensations éprouvées au contact de la réalité que le « dessin » traduit, mais une idée de celle-ci ; ce *contour,* par lequel sont figurés les objets n'existe pas dans la réalité.

Les sensations que pourrait procurer à l'enfant l'acte de peindre sont soigneusement évitées :

• La matière doit être lisse, maniée avec un outil, non pas avec les mains.

— C. E. 1 : « On peint avec les doigts, mais pas n'importe lesquels : avec le pouce si l'on veut faire de grosses taches, l'index si l'on veut qu'elles soient plus petites, mais elles doivent être faites proprement. »

— Les enfants sont déjà éduqués en ce sens lorsqu'ils entrent à l'école : à l'école maternelle, section des moyens, peinture avec les doigts : « un des enfants « se défoule » ». Par contre, un autre dit : « Ma maman, elle aimerait pas que je fasse ça ; parce qu'elle aime pas que je me salisse les mains ». La gouache n'est pas travaillée en *épaisseur,* ni *frottée,* ni *pétrie ;* la glaise et le plâtre sont d'un emploi très rare. Le plaisir que pourrait procurer une technique « savoureuse » est délictueux.

— Maternelle, section des petits : « Il ne faut pas que la peinture soit *liquide.* »

— Maternelle, section des grands : « La maîtresse reproche à un enfant de faire des *taches.* »

— Une autre section des grands : « Les enfants apprennent à ne pas mettre beaucoup d'eau, à essuyer le surplus de couleur en passant le pinceau sur une éponge. »

— Autre maternelle : « Pour *éviter de se salir* les mains et d'abîmer les dessins : égoutter le pinceau, utiliser un chiffon. L'enfant apprend à changer de couleur après avoir bien rincé, essuyé, remouillé le pinceau. »

— C. E. 1 : « Très peu de dessins sont vraiment soignés car les élèves négligent souvent les pinceaux fins, ou alors n'égouttent pas les pinceaux. »

— Autre C. E. 1 : « La maîtresse recommande de commencer par les couleurs claires afin de ne pas salir l'eau. Les enfants ont un peu peur de faire des saletés, et ceci les réfrène, car l'institutrice est très sévère sur ce point. »

— C. M. : Réalisation de monotypes : « L'institutrice est très défavorable à ce travail ». — C'est sale, les enfants vont se salir, les parents ne seront pas contents (...) — Cela amuse les enfants, mais ils n'apprennent rien, il n'en restera rien ».

• La couleur. Les exemples qui viennent d'être cités montrent que les sensations visuelles procurées par des mélanges fortuits de couleurs sont, elles aussi évitées.

• Le geste lui-même est en général soigneusement limité. Exception faite de quelques recherches aux niveaux préélémentaire et secondaire, le lien entre la motricité, l'expression corporelle et le « dessin » est à instaurer. Le fait généralisé que l'on dessine dans la même position que celle où l'on écrit, est significatif.

— Maternelle, section des moyens : « L'enfant apprend à bien tenir sa feuille (format 21/29) avec sa main gauche pour qu'elle ne bouge pas. »

Interférences de la morale et de l'enseignement du dessin

L'école se fait un devoir d'inculquer, par l'enseignement du dessin, des connaissances : c'est l'objet des dessins d'observation et de mémoire, ce peut même être l'objet de dessins libres.

— C. E. : « Les enfants peuvent apporter des dessins si elles le désirent, ils sont l'objet d'une discussion. C'est un exercice qui a pour but de leur donner la notion de droite ou de gauche. Exemple de question posée : qu'as-tu fait en haut à droite ? »

Dans cette optique, le dessin ne doit pas être une détente :

— C. E. : « Cela amuse les enfants, mais ils n'apprennent rien, il n'en restera rien. »

Le polycopié est un moyen d'assurer de bons résultats à tous les enfants, mais aussi de prouver que les exercices ont donné lieu à une préparation, de donner un gage de bonne volonté.

Le dessin permet également de donner de bonnes habitudes : soin, propreté. Le mot « saleté », relevé plusieurs fois dans des compte rendus, est révélateur : en ce domaine, la collusion de la morale et de l'enseignement du dessin est consciente.

Les mythes de la liberté, de l'expression, de la créativité, la censure du plaisir et des sensations révèlent des choix moraux moins conscients.

Ces interférences ne sont pas nouvelles. La faveur que connaît à l'école le dessin au détriment de la peinture est le reflet de l'éthique qui faisait dire à INGRES : « Le dessin est la probité de l'art. »

conclusion

Les faits démontrent ce paradoxe atterrant : non seulement l'enseignement du dessin a pour objet un ersatz de l'art mais, en imposant le conformisme, en empêchant l'imagination, l'expression personnelle, la créativité, la sensibilité, de se développer, il est un moyen d'inculquer des attitudes incompatibles avec la pratique des arts plastiques et visuels. Ainsi se trouve-t-il nettement en retrait par rapport à l'enseignement du français et des mathématiques, tant sur le plan théorique que sur celui de la pédagogic. Ce paradoxe pourrait bien être à l'origine de la défaveur qu'il connaît actuellement dans notre pays.

Le prochain chapitre propose les éléments d'une théorie pouvant être l'objet d'un enseignement des arts plastiques et visuels. Les chapitres suivants présentent différents aspects des méthodes actuellement en usage ; ils proposent en regard une mise en œuvre pédagogique susceptible de développer des attitudes compatibles avec la pratique artistique.

2

PROPOSITIONS EN VUE DE CONSTITUER UN OBJET DE L'ENSEIGNEMENT DES ARTS PLASTIQUES ET VISUELS

Si une certaine idée de la « *réalité* », une certaine idée du « *beau* » ne constituent pas le véritable objet de la « leçon de dessin », quel est donc celui-ci ?

Celui-ci est l'étude des « *arts visuels* », je dirais de leur langage si je ne craignais de suggérer un parallèle avec la linguistique : les éléments des arts visuels (les « agents plastiques » dit R. BERGER), forment un système spécifique.

Observons ces éléments avec un regard qui perçoit d'abord leur apparence immédiate sans se préoccuper de leurs fonctions ni de leurs significations.

les éléments premiers

Les arts visuels nous sont immédiatement sensibles par :

La couleur

couleur-matière en peinture, couleur-lumière en projections de lumières colorées.

La valeur

impression plus ou moins claire ou foncée produite sur notre œil. Les « Mangeurs de pommes de terre » de VAN GOGH sont peints dans un registre de valeurs plus foncé que celui des « Tournesols ».

La matière

L'œuvre d'art est en granit, en métal, au pastel sur papier, en lumière colorée. Elle se réalise dans la matière.

L'étendue et la limite extérieure des formes

Leur surface et leur contour, la circonférence et sa longueur, le cercle et sa surface, la sphère et son volume.

REMARQUE. Comme l'eau paraît tiède par rapport à l'eau chaude et à l'eau froide, la qualité attribuée à chacun des éléments ci-dessus dépend de la perception de ressemblances et de différences,

• selon ses propres variations, (les autres éléments étant constants).
Exemple : un rouge paraît orangé au voisinage d'un rouge violacé.

• selon les variations des autres éléments.
Exemple : un rouge ne semble pas le même s'il est peint à la gouache ou à l'huile, s'il recouvre un triangle ou un cercle, s'il est cerné d'une couleur plus sombre ou plus claire que lui, etc...

Pour Juan GRIS, les couleurs lumineuses sont expansives tandis que les couleurs sombres sont concentrées et les « terres, lourdes et denses ». Les formes rectilignes (le triangle) sont plus concentrées que les formes curvilignes (le cercle), plus expansives.

La composition

Ces interactions entre les éléments premiers nous conduisent à regarder dans l'œuvre considérée globalement la façon dont ils se composent entre eux et avec l'environnement.

« Les formes expressives sont insérées dans un réseau de rapports, de sorte que leur ensemble est perçu comme une sorte de forme ou de structure synthétique, si complexe et nuancée qu'elle défie l'analyse » R. PASSERON (13).

les éléments seconds

Les œuvres d'art visuelles livrent à un regard attentif d'autres apparences « secondes », en ce sens qu'elles sont élaborées à partir des éléments premiers et de leurs rapports. Elles déterminent :

Un espace

Un espace propre, distinct de l'espace réel, espace parcouru par l'intermédiaire de l'œil ou du corps selon que l'œuvre est plane et limitée, (peinture de chevalet), ou qu'elle est à plusieurs dimensions, (sculpture, architecture ou environnement).

Exemple : une peinture de VASARÉLY exécutée sur un support plat suggère une profondeur : les formes, par le jeu des valeurs, couleurs, contours, semblent avancer ou reculer.

Précisons qu'en peinture cet espace fut, pendant quatre siècles, le fait d'un système conventionnel agençant les formes suivant des règles précises : la perspective, codifiée à la Renaissance par le théoricien ALBERTI. Le Monde figuré selon cette convention était comme une pièce de théâtre conforme à la règle des trois unités, saisie à un instant donné, depuis un point fixe situé à l'extérieur. Mais la coercition de ce système n'empêche pas un tableau de POUSSIN, de LE NAIN, de Georges DE LA TOUR, de suggérer, ou plutôt d'imposer chacun son espace propre.

Un mouvement et une durée

• actuels, quand l'œuvre est animée (cinéma),

• potentiels dans les œuvres apparemment immobiles :

« Dans l'œuvre d'art, *des chemins sont ménagés à cet œil du spectateur* en train d'explorer comme un animal pâture une prairie. (...) L'œuvre d'art naît du mouvement, elle est elle-même mouvement fixé, et se perçoit dans le mouvement (muscles des yeux) » (10)

L'œuvre d'art terminée peut être appréhendée comme le *témoignage d'un processus :* « L'humaniste a affaire à des documents sur l'action, sur la création humaines et ne peut comprendre ces « qualités » qu'en les ré-activant, les re-créant... » dit B. TEYSSÈDRE dans sa préface à la traduction des « Essais d'iconologie » de E. PANOFSKY (12).

LA TECHNIQUE restitue comme une mémoire la rapidité ou la lenteur, la force ou la délicatesse, le calme ou la nervosité, la tension, le rythme, selon lesquels a été travaillée la matière. (PICASSO : Maïa avec sa poupée).

L'œuvre d'art « porte en elle les traces indestructibles (même cachées) d'une vie chaleureuse. La touche est le véritable contact entre l'inertie et l'action » (8).

« Le geste essentiel du peintre est d'enduire. Non pas étendre avec une petite plume, ou une mèche de poils, des eaux teintées, mais plonger ses mains dans de pleins seaux ou cuvettes et de ses paumes et de ses doigts mastiquer avec ses terres et pâtes le mur qui lui est offert, le pétrir corps à corps, y imprimer les traces les plus immédiates qu'il se peut de sa pensée et des rythmes et impulsions qui battent ses artères et courent au long de ses innervations, à mains nues ou s'aidant, s'il se rencontre, d'instruments sommaires bons conducteurs — quelque lame de hasard ou court bâton ou éclat de pierre — qui ne coupent ni n'affaiblissent les courants d'ondes » (6).

L'œuvre achevée restitue ce qui fut peint d'abord et peint ensuite. Elle restitue même ce qui fut caché, détruit, et qui jaillit avec d'autant plus d'intensité que le vouloir du peintre l'en empêche (peintures et dessins d'INGRES). Elle vibre dans les strates de la matière, de la couleur (CHARDIN). Elle témoigne des constructions et destructions de MONET (Cathédrales, Vue de Vétheuil dans le brouillard), de GIACOMETTI (sculptures).

DES TENSIONS affleurent : tension dues aux formes qui n'ont pas tout à fait l'emplacement, ou l'inclinaison, ou le volume que l'on aurait attendu par rapport aux autres éléments de l'œuvre. L'œil captivé cherche à les modifier. Il s'en suit une sorte de désir, que l'œuvre interrogée satisfait et renouvelle de façon inépuisable.

Exemple : Le gauchissement que fait subir Cézanne aux courbes, ses verticales presque verticales.

Formes modelées juxtaposées dans un même tableau à des formes plates (Georges de La Tour, Juan Gris, Lindner...) ; Proportions subtilement étirées, amplifiées (Ingres et non pas Prud'hon) ; Eléments appelant ou repoussant un autre élément ; etc...

P. Klee va même jusqu'à considérer toutes les formes d'un tableau comme des formes en devenir : « De même encore, pour le mouvement menant des surfaces aux espaces. » (10)

Des rythmes s'imposent : L'œil prend appui sur les formes comportant entre elles des analogies comme autant de rimes (Seurat : La parade). Sa danse est rythmée par le jeu des proportions entre les lignes (espacements et dimensions respectives : Paul Klee, scène guerrière de l'opéra-comique fantastique : « Le navigateur », courbes et droites), couleurs, valeurs, masses, pleins et vides (Poussin, Vermeer, Cézanne).

Dans le « lieu de fouille » de Paul Klee, l'œil va de tache ronde à tache ronde, de rouge à rouge, de bleu à bleu, d'horizontale à horizontale, d'angle à angle. Le « Paysage aux maisons » de Kandinsky comporte des rythmes variés : feuillages de l'angle supérieur droit ; horizontales du plan devant les maisons ; façades, ouvertures, toits de celles ci...

Disons, pour éviter tout malentendu au sujet des proportions, que « l'atelier du peintre » de Courbet offre sur ce plan beaucoup moins de possibilités de délectation que « l'atelier » de Vermeer, pourtant moins proche de la réalité. Il est possible de rétablir mathématiquement certaines proportions, surtout quand elles furent au départ de la construction des œuvres. Ainsi la proportion d'or, transmise dans les ateliers des seize et dix-septième siècles, puis reprise par Seurat et certains peintres cubistes (Juan Gris), peut-elle être restituée. Il ne faudrait pas, toutefois, que ce cas particulier fasse illusion : les notions de rythme et de tension, bien que très sensibles, sont difficiles à objectiver.

L'approche des apparences « secondes » nous a entraînés, au delà d'un simple constat de la forme, à poser le problème de sa relation avec le « regardant ». Nous atteignons là un autre niveau, celui de ses fonctions et significations.

fonctions et significations des éléments de la forme

Les éléments de la forme agissent directement sur la sensibilité et c'est par elle qu'ils se signifient. ILS NE DÉCRIVENT PAS, — la description n'est qu'un prétexte —.

■ ILS SONT PORTEURS D'EXPRESSION.

— *d'émotions, de sentiments* (1)

Van GOGH écrit : « Exprimer l'*amour* de deux amoureux par un *mariage* de deux complémentaires, leurs *mélanges* et leurs *oppositions*, les *vibrations* mystérieuses des *tons rapprochés.* Exprimer la pensée d'un front par le *rayonnement d'un ton clair sur un ton sombre.* Exprimer l'*espérance* par quelque étoile. L'*ardeur* d'un être par un *rayonnement* de soleil couchant. Ce n'est certes pas là du trompe-l'œil réaliste, mais n'est-ce pas une chose réellement existante ? »

Il dit encore, parlant de GAUGUIN : « Il a vécu à bon marché, mais il est devenu malade à ne plus pouvoir distinguer un *ton gai* d'un *ton triste* ».

— *de tensions, de désirs*

« La cause efficiente la plus générale est volonté mutuelle de tension dans les deux sens : de la tension entre deux points résulte une ligne etc. »

— *de plaisir*

« La couleur me tient. Je n'ai plus besoin de la poursuivre. Elle me tient pour toujours, je le sais. Voilà le sens de cette heure heureuse, moi et la couleur ne faisons qu'un » P. KLEE.

■ ILS SONT PORTEURS DE SIGNIFICATIONS.

précisément dans la mesure ou ils peuvent se prêter à plusieurs « regards » ou « lectures ». La notion capitale de polysémie de l'œuvre d'art plastique et visuelle est encore trop ignorée de l'école. Il faut tenter de dissiper ce malentendu, ou tout au moins de le rendre sensible par des exemples rencontrés couramment.

---

(1) Les mots en italique dans le texte l'ont été par nous et ne l'étaient pas dans le texte de VAN GOGH.

● « *L'Enfant à l'oiseau* » de Picasso est-il tout simplement la représentation d'un enfant mignon serrant contre son cœur un oiseau aussi candide que lui-même ou bien l'expression,

— par les couleurs tristes qui donnent toute sa violence au rouge des lèvres ;

— par la ligne simplifiée, puissante en même temps que délicate ou tremblée, arrondie à tendance anguleuse ;

— par l'espace réduit, comme écrasé, à la fois très proche (pieds vus de dessus, tête vue de dessous, jupe enveloppante pour le regardant plus que pour le corps regardé) avec une tendance cosmique : sphères instables du ballon et de la tête, besace du nœud de la ceinture, courbe du fond (horizon ou intersection d'un plafond et d'un mur ?), bleu de la moitié supérieure : mur ou ciel ? ;

— par la composition ascendante, tendue ou poussée vers le haut ;

— par la simplification extrême et moderniste ;

d'un « misérabilisme », d'un sentiment humanitaire plus ou moins réel ou affecté, de dénuement, de tendances faméliques, d'écrasement... ?

● « *L'acrobate à la boule* » de Picasso représente-t-il un adolescent gracieux en équilibre,

— ou bien une fuite allant du personnage assis à l'adolescent, au chien, à la mère, au cheval, ou encore allant du cube à la boule, puis de colline en colline jusqu'à l'horizon ?

— ou bien une désagrégation par l'égalité des valeurs claires et des valeurs sombres ; le modelé des corps ne prend-il pas la nature même du modelé des collines ? Les disparitions ou interruptions du contour ténu ne permettent-elles pas un passage de la chair au sol — le mot chair étant mal venu car le personnage et le paysage sont plutôt de sable et de pierre — ?

— ou bien une éternité silencieuse : la qualité surréelle de la lumière, l'harmonie et la sérénité des proportions appartiennent à l'Antiquité méditerranéenne.

« Le peintre provoque un *décalage,* une *coupure* entre les signes de transcription et les objets à transcrire ; une *marge* est introduite entre les premiers et les seconds et c'est cette marge, ouvrant passage à tout un flot de rebondissements et d'échos, qui devient toute la machine génératrice. » ..... « *L'implicite* est peut-être le recours que véhicule l'Art. » (6)

« L'œuvre d'art doit avoir non pas une signification limitée, et telle qu'on l'ait épuisée en peu de temps, ou même qu'on puisse jamais le faire, mais des sens très nombreux, ouvrant sur une multiplicité de chemins où l'esprit peut au gré de l'humeur s'engager sans en trouver jamais les bouts. Non pas une bouteille qui, après boire se trouve vidée, mais une bouteille enchantée qui se remplit à mesure qu'on s'y abreuve. » (6)

Il faut rapprocher de ces phrases de J. Dubuffet ce texte de H. Focillon :

« La forme est enveloppée d'un halo. Elle est stricte définition de l'espace, mais elle est suggestion d'autres formes. Elle se continue, elle se propage dans l'imaginaire, ou plutôt nous la considérons comme une sorte de *fissure,* par laquelle nous pouvons faire rentrer dans un règne incertain, qui n'est ni l'étendu ni le pensé, une foule d'images qui aspirent à naître. » (8)

Conséquences sur l'attitude de l'enseignant

Si nous revenons à l'enseignement des arts visuels, nous voyons qu'il ne faut pas chercher à former là l'esprit logique. L'« heure de dessin » est l'oasis, une de ces rares oasis de la vie scolaire où la vie affective, l'espace intérieur, le rêve, l'imaginaire, les tensions, peuvent prendre forme.

Si l'enseignant se sent imperméable, voire hostile à ces valeurs humaines, il peut au moins s'efforcer d'accepter ses élèves tels qu'ils sont, même s'ils sont différents de lui et qu'il ne les comprend pas bien, les considérer comme des partenaires égaux, susciter les productions de chacun, les accueillir et les faire accueillir par la classe, apprendre à regarder leur forme apparente hors de tout jugement de valeur.

propositions

De chacun des éléments de la forme, nous citerons quelques aspects souvent rencontrés : dans la vie quotidienne, dans les écoles, dans les œuvres d'art. Ils nous sont donc suggérés par une expérience personnelle forcément limitée, orientée, datée. Leur énumération ne prétend pas à un caractère rationnel. Le but est simplement de sensibiliser à l'aspect esthétique des apparences afin de quitter l'ornière de la perception pratique et du Beau conventionnel.

Les couleurs

— *Couleur intense par rapport à d'autres.*

Remarque : la couleur qui paraît intense peut être vive mais peut aussi être douce : (« Le poisson rouge » de Paul KLEE), (Le verre de vin dans « Famille de paysans dans un intérieur » de LE NAIN).

— Nuances d'une couleur ou *teintes* : une couleur domine mais elle est mélangée à de petites quantités de couleurs proches ou opposées (CÉZANNE).

— La *même couleur* dans — ou sur — des *matières différentes* (TAPIÈS).

— *Couleurs de matériaux* : ce sont les plus répandues dans la nature (où les couleurs « pures » sont rares). Elles peuvent être imitées par des mélanges ou produites par des matériaux appliqués directement (DUBUFFET).

— *Gris colorés* : obtenus par mélanges de couleurs opposées sur la palette ou par addition d'un peu de couleur à des gris (BRAQUE - RUYSDAËL).

— *Mélanges de deux couleurs* (VASARÉLY).

— *Mélanges optiques* de couleurs de même valeur : les couleurs ne sont pas mélangées à l'avance sur la palette, mais sont juxtaposées sur le support. C'est l'œil du spectateur qui élabore le mélange (Impressionnisme).

— *Vibration d'un fond* à travers une couleur de dessus qui peut être un frottis, une vaporisation de couleur opaque, ou un « jus » de couleur translucide (MONET, MAN RAY, RUBENS, KANDINSKY : « Paysage avec maisons »).

— « *A-plat* » *de couleurs vives :* couleurs non modulées par des valeurs qui donneraient des « tons » différents. On peut jouer sur leur forme et leur étendue (POLIAKOFF, Sonia DELAUNAY, Paul KLEE: « Le clown » de la collection BERNOUDY).

— *Destruction de la couleur par la couleur :* à force d'être additionnées, les couleurs vives finissent par donner des gris brunâtres: gris colorés (Claude MONET).

— *Expression d'un sentiment par la couleur*
(Voir les citations de Van GOGH, p. 45).

Les valeurs

— *Valeur foncée* entourée de valeurs plus claires (Coiffure du personnage situé au premier plan du tableau : « Le cirque » de SEURAT).

— *Valeur claire* entourée de valeurs plus foncées (Visage du même personnage).

— Surface de *plusieurs valeurs échelonnées du clair au sombre* sur un fond s'éclaircissant au contact du sombre et s'assombrissant au contact du clair, — *sans* qu'il y ait de « *passages* » entre surface et fond. (Le cheval dans « Le cirque » de SEURAT) ;

— *avec des* « *passages* » entre surface et fond.

Il y a « passage » quand une partie de la forme a même valeur que le fond (Maisons dans les paysages de CÉZANNE ; tonneaux situés au premier plan du « Massacre des Innocents » de BRUEGHEL : leur partie supérieure « passe » dans la neige du sol, leur partie inférieure ombrée « passe » dans l'eau de la mare).

— Composition de plusieurs *surfaces variant* chacune du clair au sombre *sur un fond* également *variable* (POUSSIN, DELAUNAY).

— Opposition, composition de noir et blanc (Gravures sur bois, sur linoléum).

— Composition de *valeurs très contrastées* (du blanc au noir), (Guernica, dessins de SEURAT, de REMBRANDT, peintures de VERMEER).

— Composition de *valeurs très proches les unes des autres,* allant par exemple d'un gris moyen à un gris clair (Dessins d'INGRES, CÉZANNE, peintures de WATTEAU, peintures impressionnistes).

— Presque tous les problèmes de couleur proposés ci-dessus peuvent mettre en jeu la variable Valeur et s'ajouter à cette liste.

Remarque : Parmi les *moyens matériels favorables à l'expression par les valeurs*, citons : toutes les sortes de gravure, la photographie, la sculpture, le lavis, le fusain.

La limite extérieure des formes

— Limite entre des plages de couleurs différentes et plates; *contour continu et virtuel,* non marqué par un graphisme (Le Douanier Rousseau).

— Limite entre des plages de couleurs modulées : *le contour disparaît* quand deux valeurs égales sont en contact (« L'acrobate à la boule » de Picasso).

— *Cerne enserrant la couleur :* procédé facile et artificiel s'il ne prend pas appui sur une sensation. Le cerne peut être foncé ou « en réserve » (Alechinsky). Une « réserve » consiste à mettre en réserve la couleur du support. Une surface fortement frottée à la bougie ou au pastel gras, ou couverte de caoutchouc liquide, apparaîtra en réserve parce que la couleur à l'eau ne mordra pas dessus. Une indication à la gouache, couverte d'encre de chine, puis lavée réapparaît (temps de séchage à prévoir).

— *Contour autonome* par rapport à la couleur : surfaces et lignes ne coïncident pas. (Dufy ; papiers collés cubistes ; Miro, Fautrier).

— *Signes, schémas* (Miro, Klee).

— Les collages de matière déterminent un contour virtuel et des *formes larges, comportant peu de détails* (Tapiès).

— *Contour* gardant le souvenir du geste : les grands formats, les supports offrant une résistance à l'outil, sont favorables à l'*expression de la gestualité* (Dubuffet, certains Klee, Miro...).

— *Contours gravés :* la matière, au lieu d'être ajoutée, est enlevée (Dubuffet, Tapiès).

— *Formes* (plates ou en volume, linéaires ou en surface) de *caractères très différents :* rectilignes ou arrondies, simples ou mouvementées, expansives ou rétractées (Juan Gris) ; anguleuses avec arêtes si l'intersection des plans est marquée (Zadkine), douces et unies si les plans se rejoignent par des passages (Brancusi).

Les aspects des couleurs et valeurs cités ci-avant déterminent des variations du contour.

La matière

— *Mise en valeur du support :* papier à grain, par exemple, par des couleurs aquarellées et des nuances proches (KLEE) ou par des couleurs patinées par un frottis de fusain (BARYE) ; ou bien couleur épaisse frottée sur du *papier très chiffonné ;* frottis léger caressant le papier et ne marquant par endroits que les arêtes ; couleur délayée remplissant les « vallées » du papier chiffonné, couleur plus épaisse faisant disparaître ces vallées par endroits (MIRO).

— *Craie caressée* sur le papier (QUENTIN LA TOUR).

Craie râpée sur des surfaces encollées (matière *non triturée,* non malaxée : FAUTRIER).

Craie râpée triturée avec la languette de papier qui étale la colle.

— *Effets de matière à l'encre de chine* ou au lavis (d'encre de chine ou de brou de noix) sur papier mouillé ou préalablement passé au lavis (Surréalistes, DUBUFFET).

— *Collages de terres ou autres matériaux* (peintures matiéristes, DUBUFFET).

— Gouache blanche pure ou enduit à l'eau ou blanc gélatineux sur fond sombre ; *gratter avec un clou* ou un crayon ou une fourchette ou un peigne. Ardoise (de toiture) de rebut ou plaque de plâtre salie en surface grattées avec un clou. Carte à gratter (carton glacé genre boîte à chaussures, noirci à l'encre de chine), grattée avec une épingle à tête (DUBUFFET).

— *Gouache au couteau* (Nicolas de STAEL).

— *Empreintes :* dans de la glaise mélangée à de la colle ou dans du plâtre mélangé à de la colle ; grattage, pétrissage, traces d'outils, empreintes d'outils (DUBUFFET).

— *Frottages* (principe de la pièce de monnaie mise sous le papier que l'on fait apparaître en frottant avec un crayon). Les enfants se font un plaisir de relever l'empreinte de toutes les surfaces en relief : murs rugueux, bois, écorces, accessoires vestimentaires, plaques de fonte moulées etc... Ces empreintes constituent la matière première d'une réalisation ultérieure (Max ERNST).

— Mélanger à la *même couleur de gouache* plus un peu de colle *différentes matières :* plâtre, sable, sciure, tabac, gravier fin, terre, riz, miettes de pain, cendres... (BRAQUE).

— *Réserves à la gouache ;* les réserves donnent une matière patinée (ALCHINSKY).

— *Matériau* plus ou moins dur, *taillé* (bois tendre, savon, plâtre) (chapiteaux du Moyen Age, sculptures africaines).

— *Matériau malléable modelé ou trituré* (plâtre en train de prendre, glaise) (sculptures de Daumier, Giacometti).

— La *matière* est peu favorable à l'*expression de l'espace*, comme le montrent ces propos de Dubuffet, peintre matiériste :

« ... Faire parler à la surface son propre langage de surface et non un faux langage d'espace à trois dimensions qui n'est pas le sien. Est-ce en quelque façon compléter une surface que la remplir de creux et de bosses et d'éloignements ? C'est la torturer. J'éprouve au contraire un besoin que la surface reste bien apparemment plate. Mes yeux se plaisent grandement à se reposer sur une surface bien plane et particulièrement une surface rectangulaire. Les objets représentés y seront transposés changés en galettes, aplatis au fer à repasser. » (6)

La composition

— *Influence du format.* Varier beaucoup les supports, leurs formes, leurs dimensions, leurs proportions.

— *Rapports des formes entre elles :* elles peuvent être parentes ou opposées (Juan Gris). Une œuvre exprimant une sensation ne peut donner lieu à des formes disparates (c'est-à-dire quelconques, ni parentes ni opposées, sans qualité).

— Dominante d'une direction (Manessier) ; équilibre de directions différentes (David) ; dominante courbe (Rubens).

— *Composition en réseau* : toutes les formes prennent appui sur un réseau tracé préalablement (Paul Klee).

— *Concentration* des formes au centre ou à la périphérie (Sima, Music) ou en un nœud (Prassinos).

— Composition tumultueuse (Delacroix, Mathieu, Appel).

— Composition calme (Music, Ben Nicholson).

— Travaux en volume : composition *dans un plan, bas-relief,* composition dans *l'espace* (architecture ronde, bosse), composition des vides, c'est-à-dire, de l'espace (Pevsner, Etienne Martin).

Remarque : La composition, comme les autres éléments, est porteuse d'expression. *Elle n'a donc rien à voir avec la « mise en page »* d'un dessin de sciences naturelles dont la disposition régulière, attendue, symétrique, n'a pas un but artistique mais un but de lisibilité.

L'espace

— *Faire « avancer » une forme :* en la plaçant sous les autres (Miniatures du Moyen Age).

• en lui faisant interrompre, cacher en partie, d'autres formes qu'elle situe ainsi en arrière. Il est difficile de donner un exemple car c'est un cas presque général.

• en la « soulevant » par une valeur foncée si elle est claire, par une valeur claire si elle est foncée. (Piero della FRANCESCA), (« lieu de fouille » de KLEE). Si la forme est claire d'un côté et foncée de l'autre, plusieurs solutions sont possibles : (Piero di COSIMO, « La belle Simonnetta Vespucci », Musée Condé de Chantilly).

• en laissant apparaître d'autres formes derrière elle : grillage de points (Juan GRIS), ou de lignes (GIACOMETTI), transparences (PICASSO).

— Une même forme semble *reculer* ou *avancer* par rapport à une autre. Ceci est très fréquent dans le cubisme synthétique (BRAQUE, PICASSO, GRIS, MAGNELLI).

— *Profondeur ou relief suggéré par des obliques* conduisant le regard, même sans intervention de perspective albertienne ou cavalière (GIACOMETTI). Une profondeur peut être également suggérée par des *convergences* de lignes (surréalisme), par des *emboîtements* de formes, des *rimes* de formes (cubisme analytique, BRAQUE, PICASSO).

— *Action directe de couleurs ou de matières* qui semblent reculer ou avancer les unes par rapport aux autres (DUFY, MATISSE).

— Opposition d'*éléments d'échelle différente* (PICASSO : « L'acrobate à la boule »).

— *Espace réel* déterminé par des surfaces réelles (sculpture, architecture).

— Espace déterminé par la *superposition de projections* de diapositives comportant des formes colorées nettes ou floues (rôle de la mise au point).

Le mouvement, la durée

— Mouvement imposé au regard par une *progression de couleurs, valeurs* (Paul KLEE) ; par des *directions* (DEWASNE) ; par des *analogies* (de matières, couleurs, valeurs, formes, — PICASSO —).

— Figurations de *trajets :* linéaires ou en surface ou en volume.

— *Outils graphiques :* Fusain, craie mise à plat, brosse large (Soulage) ; ou bien matière épaisse œuvrée avec violence, agressivité (Rauschenberg), rapidité (Dubuffet) ; ou bien avec lenteur (Ubac), douceur, légèreté ; gestes courts ou gestes très longs (Hartung), gestes réguliers (Seurat) ou désordonnés (Mathieu) ; gestes rythmés selon des rythmes variables...

— *Additions et soustractions de matière :* Travaux en surface (Monet) ou en volume (terre glaise), (Giacometti).

— *Tracés* légers (dessins de Corot) ; lourds (dessins de Millet) ; lents (Seurat, Juan Gris) ; rapides (Delacroix, Callot, Rembrandt dernière manière : — on pourrait même dire fulgurants —) ; décidés (Picasso, Léger) ; hésitants (Cézanne).

— Tracer des lignes en vivant ces *tracés comme des trajectoires de points.* Engendrer des *surfaces par déplacement de lignes* (fusain ou craie mise à plat, peinture au couteau ; Paul Klee).

Créer des *volumes qui sont des ensembles de lignes* (fils de fer assemblés, ficelles tendues entre des armatures ; Pevsner).

— *Rythme par accumulation* d'objets semblables (Arman, César).

— *Rythme par analogies de formes* (« Paysage avec maisons » de Kandinsky).

— Travaux où la succession des *stades* ou des *strates* de l'exécution sont visibles.

— *Assembler* des *éléments* mobiles *constants* selon des dispositions donnant des figures d'*ensemble de proportions très différentes* (par exemple très allongées ou très tassées).

Remarque

Il serait indispensable, à tous les niveaux et en particulier au niveau de l'enseignement préélémentaire, de lier le graphisme avec la motricité et le rythme. Des moyens variés permettent la figuration des trajets. Il est possible de marcher dans la peinture et de suivre la trace des pieds sur une piste de papier ; de tracer ensuite ce trajet sur un support réduit, avec un outil, cette fois ; de faire parcourir à une petite auto un chemin semblable à celui qu'on a suivi, avec les mêmes tournants, les mêmes directions, les mêmes changements de tempo. Cette petite auto laisse des traces colorées si ses roues ont été trempées dans la peinture ; ou bien marque des ornières dans le sable, etc... Il est possible aussi qu'une partie des enfants observent ce que font leurs camarades : positions, déplacements, rythmes,... et représentent leur point de départ, leurs trajets, leur point d'arrivée, les sautillements, sauts, grands pas,... **par une trace ou par des objets mobiles.**

Si le dessin linéaire est une convention étrangère à la perception visuelle, il se déduit par contre organiquement du geste, du mouvement, du déplacement, du rythme.

Les travaux en volume

Ceux-ci sont tellement absents des écoles qu'il semble utile de donner quelques précisions d'ordre technique à leur sujet, outre les aspects formels déjà cités.

— Œuvres *proches de la surface*, destinées à un spectateur placé devant elles : animations de surfaces, bas-reliefs (Hajdu).

— Œuvres autonomes par rapport au mur, *autour desquelles on peut tourner* (ronde-bosse).

— Œuvres *autour desquelles on peut tourner et dans lesquelles on peut pénétrer :* architecture, sculpture-habitacle, environnement.

— Œuvres « *partant du bloc* », déterminées en partie par la forme et la texture de celui-ci (chapiteaux romans).

— Œuvres obtenues par *addition (et retrait)* d'un matériau malléable, plastique.

— *Assemblages d'objets* ou de morceaux d'objets dont l'expressivité participe à l'expression de l'ensemble (sculptures de Picasso). Assemblages d'éléments selon une conception préalable de la forme définitive (Pevsner).

— *L'espace* est autour de la sculpture (sculpture grecque).

— L'espace est entouré par la sculpture (demeures d'Etienne Martin, jardin d'hiver de Dubuffet).

— L'espace est « sculpté » par des surfaces qui le structurent ou le déterminent (sculpture cubiste, Pevsner).

— *Technique par addition :* terre glaise, plâtre, papier mâché, faserit (Giacometti).

— Technique *par soustraction* dite « taille » : glaise, plâtre (avec un couteau), savon, (couteau, gouge), pierre tendre (couteau, ciseau à pierre), polystyrène (clou), bois (gouges aiguisées).

— *Assemblages :* chutes de bois (Nevelson), objets de rebut les plus divers (Picasso), petits mécanismes (Tinguely), — à condition de ne pas les utiliser suivant les livres de recettes-style-cadeaupour-la-fête-des-mères, mais *afin de résoudre des problèmes de forme et d'expression précis.* Les objets ont en effet l'inconvénient de n'être pas « plastiques » c'est-à-dire malléables. Il faut donc bien s'assurer qu'ils servent un besoin d'expression, sous peine de tomber dans la petite décoration conventionnelle sans aucune signification.

— *L'expression par plans et arêtes :* les plans peuvent limiter un volume, le structurer de l'intérieur, déterminer un espace. Les arêtes sont : ou bien des limites, ou bien des intersections de plans. La terre, le plâtre, le savon, la pierre, le bois taillé se prêtent à l'expression par plans ; mais aussi le fil de fer (pince coupante pour fil électrique), le plâtre sur grillage, le carton plié et découpé, le papier, les chutes de tôle (bonne pince démultiplicatrice à découper la tôle, « soudure à froid »), les chutes de contreplaqué et de planches, le bois de cageot (pince coupante pour découper les cageots).

Remarque

La réalisation de travaux en volume n'est pas plus difficile pour les enfants que celle des travaux en surface. Toutes les variantes techniques proposées ci-dessus sont réalisables. Par contre, la représentation du modelé, vu comme un phénomène de surface extérieur, est difficile pour de jeunes enfants.

Même quand la sensation de relief a été réactivée par le toucher ou bien par des effets d'éclairage, elle est difficilement intériorisée. Il est préférable de la faire vivre comme un parcours : montée en pente douce, descente brusque et concave, ou bien chutes, dénivellations plus ou moins hautes, reliefs arrondis ou aigus, simples ou complexes.

Le jeu peut varier à l'infini : l'enfant peut représenter un parcours réel ou bien imaginer qu'il est une fourmi sur un caillou, qu'il explore sur patins à roulettes le visage d'un géant, qu'il découvre les collines de l'Ile Merveilleuse etc... bref, qu'il parcourt réellement les reliefs avec son corps.

Nous rejoignons ce qui a été dit au sujet des trajets. (Voir : « le mouvement, la durée »).

3

LA LEÇON
D'ARTS PLASTIQUES
ET VISUELS

présentation
d'une méthode

La première partie de ce chapitre expose de façon détaillée les
différents aspects d'une méthode large et réalisable dans le cadre
de l'école. Elle se termine par des exemples d'applications possibles à l'élément : couleur (voir pages 71 et suivantes).

La seconde partie décrit et analyse les autres méthodes pratiquées
actuellement dans les écoles : préparation, déroulement du travail, résultats, références culturelles, rôle de l'enseignant, finalités.

Motivation et préparation

PRINCIPE

Quand les enfants ont *éprouvé une sensation* (visuelle, tactile, spatiale, gestuelle, auditive), une émotion au contact de la réalité ou par l'imagination, l'enseignant cherche quelle *apparence formelle sera* susceptible de convenir à l'expression de cette sensation ou émotion, ainsi qu'un *moyen technique* favorable. Le *thème* est souvent, (pas obligatoirement), la figuration de la circonstance qui a fait naître la sensation ; il fournit un vocabulaire de formes.

EXEMPLES DE PREPARATION ADEQUATE

Les matériaux du chantier.

Les élèves d'un cours moyen sont allés regarder de près un chantier de bâtiment contigu à la cour de l'école. Ils ont été, entre autres, sensibles à la qualité des matériaux dont ils ont spontanément ramassé des débris. De retour dans la classe, ils peuvent réaliser une composition mettant en jeu les matières, couleurs, formes des matériaux, sur le thème du chantier. (Un chantier peut donner d'autres impressions : directions, angles, assemblages de plans ou d'éléments, croissance, activité, gigantisme, occupation et division de l'espace, oppositions de mouvement et de statisme, rythme architectural, rythme des gestes,...)

La blancheur des maisons.

Au cours d'une sortie consacrée à l'étude du quartier, les enfants ont remarqué les différentes blancheurs des façades. La réalisation de nuances de blanc (ou de gris), leur sera proposée. Différents moyens matériels peuvent être favorables à l'expression de cette sensation visuelle mais aussi tactile : l'œil perçoit les couleurs, mais aussi les propriétés des matériaux, c'est le « tact optique ».

— collage de divers matériaux blancs ;

— gouache à peine teintée ;

— matériau épais, grisé en surface, poli, dans lequel les détails seront grattés ou gravés, faisant apparaître le blanc caché sous le gris superficiel ;

— surface animée : certaines de ses subdivisions sont griffées, froissées, soulevées, orientées différemment...

La forme du visage.

« Chaque élève prend connaissance de son visage en le palpant » (9).

La mer, section des grands moyens, école maternelle, Paris. Peinture gestuelle exécutée avec les doigts :

Le thème du moment dans la classe est : la mer. « On va faire danser la mer très fort dans la tempête ».

« Les enfants ont exécuté le dessin en mimant et en dansant ; le thème a été très favorable aux gestes. Certains enfants faisaient le bruit de la mer puis, en peignant, toute la classe a soufflé comme le vent, hurlé comme la tempête. Au bout de vingt minutes, voyant que l'intérêt des enfants diminuait, je leur ai demandé de « calmer » la mer. Un retour au calme très rapide s'est opéré. Après l'arrêt, le lavage des mains, ce fut la récréation. »

L'enfant sous la pluie. Maternelle, section des grands.

« Nous avons saisi avec les enfants les moments de pluie, les moments de vent, pour sortir et travailler dehors sur le plan des sensations... La consigne de travail était de se dessiner d'abord, puis de faire tomber la pluie sur soi ensuite, l'installation des feuilles de papier étant verticale. »

Dans ces exemples, c'est la sensation à l'état naissant qui sert de support à l'expression. Elle n'est pas remplacée par la représentation que s'en fait l'adulte. Le langage n'intervient que s'il est utile à la prise de conscience ou à la mise en commun d'une sensation. L'enseignant cherche surtout à observer le comportement de ses élèves et à rendre leurs sens attentifs.

Recherche

Quand la préparation est bien « pensée », et l'organisation matérielle correcte, la réalisation ne demande pas d'intervention de la part de l'enseignant. Il s'efface mais il est présent ; il voit et il sent tout ce qui se passe, suit l'évolution des travaux, la diversité des solutions trouvées. Parfois il incite un élève à regarder son dessin ; rarement, il doit solliciter la poursuite d'un effort. Il évite de parler ; s'il doit le faire, il parle bas. Si les élèves chantent, il peut chanter lui aussi. Souvent, c'est très important, il rend de menus services matériels : roule une manche, noue une ceinture... et prévient les incidents techniques.

Il arrive pourtant qu'il doive « prendre en mains » une situation qui « dévie », s'il voit que l'expression est compromise. L'atmosphère de la classe est alors toute autre. En voici quelques exemples.

MOYEN MATERIEL FAVORABLE MAIS MAL EMPLOYE.

Le fusain.

On l'a choisi pour exprimer une sensation de nuit par des gris différents. Les élèves l'utilisent comme un stylo-feutre et font des contours noirs sur fond blanc ; pas de gris.

— Une façon de provoquer l'apparition de gris consiste à utiliser le fusain à plat, en appuyant plus ou moins. Le fusain offre ainsi plus de résistance et déroute plus. Faire réaliser tout un dessin selon cette technique et constater la variété des gris obtenus lors de la réflexion sur les dessins.

— Ou bien, préalablement à un travail au fusain, demander une composition de valeurs variées déchirées dans des photos de quotidiens. Les enfants seront ainsi explicitement sensibilisés à la notion de surfaces grises et orientés hors de l'ornière du contour noir.

Remarque : le « conditionnement au contour » est un écueil difficile à surmonter et qui provoque bien des déboires. Il faut donc empêcher ou retarder l'apparition du contour par des moyens techniques déroutants appropriés. « Bonne donc la forme comme mouvement, comme faire, bonne la forme en action. Mauvaise la forme comme inertie close, comme arrêt terminal. Mauvaise la forme dont on s'acquitte comme d'un devoir accompli. La forme est fin, mort. La *formation* est vie. » (10). Sauf dans le cas où le contour est le moyen formel de l'expression, son apparition prématurée coupe court aux autres possibilités : il ne reste plus qu'à exécuter un coloriage.

Les nuances de couleurs.

Un ou plusieurs élèves, pour des raisons diverses, (inattention, sensation préparatoire non éprouvée), n'ont pas résolu le problème formel posé, ou bien n'ont pas utilisé le moyen matériel proposé ; les qualités formelles du résultat ne sont pas celles que l'on cherchait. Leurs découvertes permettent souvent, lors de la réflexion collective sur les dessins, de faire rebondir la recherche.

Exemple : dans une classe, un exercice sur les nuances de couleurs avait échoué. Lors de la séance suivante, le travail consistait à poser un seul bleu sur des matériaux de texture et d'épaisseurs différentes. Plusieurs élèves n'ont pas compris et introduisent tissu bleu, craie bleue... Elles obtiennent des compositions très belles et inattendues, en particulier des nuances raffinées de bleu. Elles ont résolu fortuitement le problème de l'exercice précédent.

MOYEN MATERIEL DEFAVORABLE

Les lumières de Noël.

Les élèves d'une école située sur la place de la mairie d'une petite ville ont admiré, en sortant de classe à la tombée de la nuit, les lumières de Noël entourées d'un halo de brouillard. Elles essaient de traduire cette impression à la gouache épaisse, les résultats sont très décevants. De la couleur plus fluide, sur un papier imbibé d'eau, aurait produit le halo et sa magie.

Masque.

En février, des enfants réalisent un masque. Il leur est fourni un format de papier demi-raisin : 48/32. Les éléments du visage « nagent » dans la surface trop grande. Les résultats sont médiocres et ne ressemblent pas à des masques, bien qu'au départ il y ait eu appui sur une sensation.

Il aurait suffi, pour éviter cet inconvénient, d'adopter une démarche de bon sens. Un enfant qui prend l'initiative de se faire un masque commence en général par mettre une feuille de papier de petite taille devant son visage, puis la modèle sur les reliefs du nez et des yeux, la troue à l'emplacement de ceux-ci et procède à des ajustements successifs de la dimension et de la forme.

LA LUTTE AVEC LE MATERIAU

Les enseignants connaissent souvent des déceptions provoquées par la désastreuse habitude du contour schématique : voir ci-dessus l'exemple du dessin au fusain.

La lutte avec un matériau résistant, aux réactions inattendues ou difficilement contrôlables, *retarde l'apparition de la forme et modifie le processus de son élaboration ;* non seulement elle rend difficile la restitution de clichés, mais elle va même jusqu'à provoquer une expression véritable.

« Je suis absolument sûr qu'un qui change d'instrument et qui par exemple au lieu de dessiner avec un crayon sur du papier, dessine avec son doigt sur une vitre embuée ou bien avec la pointe d'un couteau sur une motte de beurre ou bien avec le talon de son soulier sur la poussière, ça le régénère, ça le porte à faire invention de nouvelles formes et nouveaux modes d'expression et faire toutes sortes de découvertes qu'il n'aurait jamais faites avec son crayon et son papier (mais dont il pourra tirer parti ensuite quand il reprendra crayon et papier). Mes travaux actuels aux mortiers de ciment et de chaux, je sens bien que ça me libère, ça m'accouche, ça me fait trouver, ça me fait beaucoup de bien.

» (...) Probablement bien qu'on peut se servir de ces instruments en toute fraîcheur et ingénuité, mais pour y parvenir il me semble qu'un bon moyen est de commencer par se servir d'instruments et matériaux non habituels. On a la chance ainsi, à ce que je crois, de bien dépayser, de bien se libérer des aimantations des ornières, et donc de se mettre en position de complète liberté et indépendance, de n'être plus influencé ni détourné par rien, de retrouver les voies de l'expression vraiment spontanée, vraiment immédiate. C'est ce sentiment-là qui m'a conduit à exécuter des peintures avec des ingrédients insolites, et de préférence les plus connus et les plus grossiers et je sens bien que ça m'a fait un très grand bien, et qu'il faut que je persiste dans cette voie, et même que je m'y engage plus complètement encore.

» Tes à plats de couleurs limités par tes cernes noirs, je trouve que ce n'est pas assez sale, je voudrais que tu fasses plus sale (ne pourrais-tu travailler avec des pinceaux plus gros ou très mal poilés ou bien verser les couleurs d'un peu plus haut avec moins de soin de manière qu'elles éclaboussent et dégoulinent un peu et se salissent en se mêlant un peu les unes aux autres, tu ne les laisses pas assez parler et s'ébattre ; il faut que tu leur laisses un peu plus leurs chances et elles t'emmèneront dans des chemins que tu n'avais pas prévus et où, tu verras, tu trouveras ton compte et engrèneras. » (6)

Plâtre mort, plâtre vif. Je peux relater l'expérience suivante : dans une classe les élèves, en principe préparées, ont réalisé un visage en triturant et en gravant du plâtre mort mélangé à de la colle. Les résultats, pauvres et conventionnels, comprenaient même un petit cireur de chaussures, un japonais à chapeau cônique, un clown souriant avec nœud papillon. La semaine suivante, instruite par l'échec, j'ai repris le même travail dans une classe équivalente, mais en fournissant cette fois du plâtre vif (qui durcit pendant la prise). Les résultats ont été très bons, riches sur le plan de l'expression et sur le plan formel.

Réaliser des formes en déchirant du papier. C'est une technique plus directe, (sans l'intermédiaire des ciseaux), et non maîtrisée, plus favorable à l'expression que le découpage. Il n'est évidemment pas question de tracer un contour préalable au crayon.

Graver dans le sol d'un jardin public, avec une branche morte ramassée, de grands personnages. Leur forme sera plus magistrale, le tracé plus gestuel, que s'ils avaient été tracés au stylo-feutre sur format 21/29.

Gravure d'un polystyrène expansé. Dans un cours préparatoire, des enfants aux prises avec la gravure d'un polystyrène expansé trop friable, ont bien compris et utilisé l'apport du hasard au cours de l'élaboration de la forme en devenir. Un arbre est devenu un personnage qui danse, un étendard de bateau est devenu poisson. Les enfants ont même senti que les polystyrènes gravés dont la lecture n'est pas immédiate sont parfois plus riches, (ils ont dit : « plus beaux ») que ceux dont la lecture s'impose tout de suite et définitivement.

« Ce n'est pas exactement avec n'importe quel hasard que l'artiste est aux prises, mais bien avec un hasard particulier, propre à la nature du matériau employé. Le terme de hasard est inexact ; il faut parler plutôt des velléités et des aspirations du matériau qui regimbe.

» Commencer un tableau : une aventure dont on ne sait où elle vous conduira. L'intérêt de l'artiste serait faible s'il le savait précisément, s'il devait exécuter un tableau qui au préalable serait entièrement fait dans son esprit. Rien de tel ; l'artiste est attelé avec le hasard. » (6)

L'INGRATITUDE D'UN MATÉRIAU FAVORISE ÉGALEMENT LA CRÉATIVITÉ en suscitant des solutions originales de la difficulté.

« Totems » familiaux en bois de cageot. Ce bois est d'une dureté très inégale et se fend, particulièrement lorsqu'on l'incise. Le caractère des formes est autant influencé par le matériau que par la volonté des élèves. Celles-ci ont trouvé les solutions suivantes : incisions, découpes, évidements, copeaux soulevés, mise en couleurs, addition d'objets expressifs, strates de planches superposées, assemblages...

Une telle recherche inculque la « LOGIQUE TECHNIQUE » ou « RESPECT DU MATÉRIAU ». En voici une illustration par l'absurde que je rencontre chaque année en automne : *un écureuil* est dessiné, parfois polycopié. Il est rempli avec des feuilles d'arbres respectant le contour. Les feuilles d'arbres, elles, ne sont pas respectées : elles sont coupées, brisées, émiettées, pour « ne pas déborder ». Elles ne *construisent* pas l'écureuil.

Réflexion en commun sur les résultats

ORGANISATION :

Elle demande du temps pour regarder les travaux : ce peut être pendant l'exécution de ceux-ci, mais il est également utile d'en voir l'ensemble.

— éventuellement pour le séchage.

— pour les afficher, les suspendre ou les disposer, les numéroter.

— pour chercher les documents culturels, s'ils sont jugés utiles.

— un support pour afficher ou poser les travaux et porter les numéros permettant une désignation rapide et anonyme.

— un temps pour le regard collectif, la réflexion, la parole, qui demande, même au niveau de l'enseignement secondaire, à ne pas être situé trop loin de l'exécution.

OBJET

La réalisation est le temps de la créativité et de l'expression, le regard sur l'ensemble des travaux est le temps de la prise de conscience, de la réflexion. Les œuvres deviennent un objet et chacun apprend à percevoir la sienne et celle des autres. C'est l'aboutissement de la leçon, qu'il ne faut pas escamoter ni bâcler : il mérite qu'on « prenne le temps ».

L'objet de la réflexion n'est, en aucun cas, un jugement de valeur sur les résultats.

ACQUISITIONS

• La PERCEPTION qui a motivé le travail se structure.

• L'ÉLÉMENT FORMEL PAR LEQUEL S'EST EXPRIMÉE LA SENSATION est vu, reconnu sous ses divers aspects selon les « dessins ». Il est explicité, nommé.

La mer. Maternelle, section des grands moyens, après la récréation.

« Quand je leur demandai comment ils avaient fait danser la mer :

« Les vagues ont fait des rondes sur toute la feuille. »

« La tempête allait jusqu'au fond de la mer. »

« J'ai fait sauter la mer jusqu'au plafond. »

» A chaque réplique, les enfants me montrent comment ils font avec des gestes. Je leur demande alors de faire danser leurs bras comme ils ont fait pour la mer. (...)

» L'institutrice s'est servie de ce travail en évolution rythmique, en demandant aux enfants de faire danser leur foulard comme la mer... »

La galette des rois. Maternelle, section des moyens.

... « Qu'est-ce qui est le plus important, le plat ou la galette ?
— *La galette.*
— Alors, qu'est-ce qu'on devra voir le mieux, quand on regarde les dessins, le plat, ou la galette ?
— *La galette.*
— Comment est-ce qu'on va faire pour qu'on voie bien la galette sur le plat ? Est-ce qu'on va peindre le plat de la même couleur que la galette ?
— *Non !*
— *Non parce que ça ferait tout jaune sur la feuille.*
— *On verrait plus la galette.*
— Alors, nous allons peindre la galette sur un plat. Mais, ce qu'on doit voir le mieux, c'est la galette... »

Réflexion : « Cette galette, on la voit bien. Pourquoi est-ce qu'on la voit bien ?
— *Parce qu'elle est rouge.*
— *Celle-ci aussi est rouge.*
— *C'est à cause de la couleur du plat.*
— *On la voit mieux parce qu'elle est plus foncée que le plat.*
— *Quelquefois, la galette, elle est pas plus foncée et on la voit bien.*
— *Quand la galette est plus claire, on la voit bien aussi.*
— *Celle-là on la voit pas bien .*
— Elle ne ressort pas bien, la galette n'est ni plus claire ni plus foncée que le plat, et les couleurs se ressemblent...
— *Dans celui-là, c'est le plat qui sort le mieux.* »

On regarde le dessin. En effet, si l'on ferme les yeux, et qu'on les rouvre rapidement, c'est la couleur du plat que l'on voit en premier. La couleur de la galette ne ressort pas sur un plat rouge comme celui-là.

« (...) *Dans ce dessin, la galette ressort bien, quand on regarde le dessin, on voit d'abord la galette.*
— (...) *Il a laissé du blanc autour de la galette, on la voit mieux.*
— *On n'a pas fait le plat de la même couleur que la galette sinon ça fait comme une autre galette, et on ne voit plus la vraie galette.*»
» Nous avons ensuite regardé les couleurs claires, les couleurs foncées, les couleurs vives et les couleurs pâles (vocabulaire nouveau). Nous avons observé l'influence de la couleur du plat, selon son intensité, (le mot n'a pas été employé, mais on s'est rendu compte que même si la galette est de couleur vive, elle ne ressort pas forcément bien.) »

● Les éléments de l'apparence formant système avec l'élément formel proposé au départ de la recherche sont également constatés, ainsi que leurs rapports :

La galette des rois. Voir précédemment.

Le Sacré-Cœur en monotypes, à la suite d'une classe promenade, cours moyen.

Technique : « Ce qui leur semble moins naturel, c'est que la couche de couleurs ne soit pas uniforme (...) il y a aussi les taches qui leur déplaisent. Ils prétendent que c'est « raté ». »

Composition : « Ils ont une idée assez stricte de la mise en page : le dessin doit être en entier et au milieu de la feuille, autrement c'est « raté » ... on se tue à leur enseigner que les dessins de sciences doivent être au milieu de la page, assez gros, aux traits fins... »

Lumière : « Ils prétendent qu'elle ne vient ni de la droite, ni de la gauche, comme dans les dessins qu'ils ont déjà faits, mais du milieu. Est-ce que ces dessins sont lumineux ? Pas tous. Pour certains bleus, on croirait que le Sacré-Cœur est illuminé en pleine nuit ; c'est comme un vitrail, la lumière semble venir de derrière », affirment d'autres. Tout le monde est du même avis : les plus foncés sont les plus beaux, parce que le blanc ressort mieux (idée de contraste).

Relief, espace : Je demande alors aux enfants s'ils voient du relief, si un élément leur paraît devant un autre, bien que le papier soit plat. Ils réfléchissent longuement et ceux qui ont fait un parvis disent que les marches qu'ils ont dessinées vers le bas ont l'air de venir vers eux. Une petite fille remarque que les traits blancs sont comme des sculptures en creux qui marquent bien tous les contours. Elle ajoute qu'elle s'est amusée un jour avec une pointe de couteau sur une abaisse de pâte à tarte, et que le résultat était ressemblant. Ses camarades sont du même avis, (je crois que plusieurs vont essayer chez eux !). Pour conclure sur la technique employée, je leur demande de la caractériser.

Prolongements : Ils pensent immédiatement à l'imprimerie. Je leur demande de préciser. Ils ajoutent qu'elle ne peut tirer qu'un exemplaire, mais qu'on pourrait fabriquer un gros caractère où le Sacré-Cœur serait en creux ; alors on imprimerait autant de dessins que l'on voudrait en blanc sur fond encré.

● La réflexion sur les dessins permet une expression orale riche et des acquisitions lexicales solides, les notions ayant été agies avant d'être objectivées. C'est pourquoi elle peut sans dommage, et même avec tout avantage, avoir lieu pendant l'horaire de français.

Oiseaux dans la tempête.

Papiers transparents de couleur.
Harmonies colorées sobres, fraîches, sourdes, chantantes, contrastées, froides, fades, lumineuses, riches... : vocabulaire relevé dans une classe de l'enseignement secondaire.

Poney courant.

gravé avec un clou dans un carton d'emballage.
Valeurs claires s'opposant à des valeurs foncées, des pleins à des vides. Le clou a été utilisé pour perforer, érafler, griffer, trouer, arracher. Le travail peut avoir été fait : méthodiquement, régulièrement, nerveusement...

Craie à tableau « gribouillée ».

Certains ont appuyé, griffé, tapé ; d'autres ont adopté une technique sèche et mécanique (coups de craie parallèles) ; mélangé plus ou moins les couleurs par superposition...
Il en est résulté des tracés brutaux, puissants, violents, énergiques, nerveux, délicats, sensibles, nuancés, indécis, inexpressifs, mornes...

• La créativité est constatée, on pourrait dire recensée, mise en commun. Chacun s'enrichit des trouvailles des autres, voit les trouvailles autres que les siennes, prend conscience de tous les « possibles ».
La découverte de l'un peut donner lieu à un exercice systématique pour toute la classe si elle s'avère particulièrement riche de possibilités expressives, ou délicate de mise en œuvre, ou encore si elle a suscité beaucoup d'intérêt. Une découverte qui n'a été qu'ébauchée peut trouver, dans un autre travail, son aboutissement.

Décomposition du mouvement.

Les élèves d'une classe de quatrième de Dijon prenaient des croquis sur la place Saint-Bernard, en vue d'une composition en éléments collés. L'une d'elles a dessiné un pigeon s'envolant muni de dix ailes. C'était l'occasion de proposer un travail systématique sur la décomposition du mouvement et de présenter les recherches de Marey.

Vaporisations et giclures.

Des élèves représentent la foule pendant la grève du métro. Technique proposée (c'était le jour de la rentrée, elles n'avaient pas de pinceau) : passer la couleur avec un chiffon, utiliser des caches en papier déchiré pour marquer ou répéter les formes.

Trouvailles techniques au cours de la recherche : vaporisations, (les jeunes filles avaient apporté des vaporisateurs la séance suivante) ; giclures ou éclaboussures au lieu de frottis au chiffon ; pochoirs au lieu de caches.

• L'EXPRESSION de tempéraments ou d'affects ou de sensations très différents peut être constatée à condition de ne parler, avec tact, que de manifestations évidentes et superficielles, si l'ambiance de la classe le permet. Eviter à tout prix les interprétations psychologiques ou pseudo psychanalytiques, hasardeuses, parfois prétentieuses, souvent inexactes. Il n'y a là qu'indiscrétion inutile si l'on n'est pas psychothérapeute.

• Voici un exemple de mise en œuvre naïve mais intéressante par le climat d'entente et de simplicité qu'elle révèle.

Dans un C. M. 2 de la banlieue parisienne, les dessins sont désignés par des lettres.

Gilles : « Ce dessin me fait penser à un orage qui éclate dans un ciel bleu. »

Marc : « L'auteur de ce dessin est sûrement quelqu'un de nerveux, de brutal. »

Pascal : « Moi je trouve plutôt que c'est quelqu'un qui va doucement. »

Philippe : « Je suis plutôt d'accord avec Pascal, il y a une recherche de couleurs, elles n'ont pas été mises n'importe comment. Je trouve d'ailleurs que le dessin G ressemble au A. » (L'auteur du dessin A confirme qu'elle a également fait le G.).

Michel : « J'aurais plutôt cru que c'était un dessin de garçon, les filles elles prennent toujours du rose, du rouge, ou du bleu. »

Pascal : « Non, c'est un dessin de fille pour l'harmonie des couleurs, d'ailleurs ça ne veut rien dire ce que tu as dit, moi j'aime bien le rose, les couleurs claires. »

L'expression est portée, non seulement par la technique, mais par tous les éléments de l'apparence. Les enfants, lors du débat relaté ci-dessus, après avoir examiné la technique, ont porté leur attention sur les tendances colorées.

• Les œuvres regardées peuvent susciter LE RÊVE ET L'IMAGINATION.

La mer, Maternelle, section des grands moyens :

« Tous les enfants me dirent qu'ils étaient contents, ils voulaient tous parler à la fois.

« Tu vois, j'ai mis la mer en bas, et les gouttes de tempête en haut. » Gilles ; puis Laurent lui coupa la parole.

« Y avait des poissons cachés au fond. » Et les enfants se sont mis à inventer, à raconter ce qui était caché au fond de la mer : « Une baleine qui a battu un requin » Jérome « Un éléphant a mangé les poissons, alors un escargot, il a mangé les éléphants » : Nicolas.

L'enfant sous la pluie, Maternelle, section des grands.

La réflexion sur les résultats a permis de distinguer : « ceux qui ont fait pleuvoir tellement qu'ils ont disparu sous la pluie » de « ceux qui n'ont pas fait trop pleuvoir et dont on devine la silhouette sous la pluie ». L'institutrice a demandé aux enfants d'« imaginer ce qui était arrivé au petit garçon disparu, ou bien ce qui allait arriver à la petite fille ou au petit garçon dont on voyait les pieds ou tout le corps : question : « où va-t-il ? »

La flaque d'eau, C. M. 2

« Pour moi ce dessin évoque le lever du jour sur un étang et les reliefs sont les vaguelettes qui couvrent l'étang à cause du vent. Auprès de cette étendue d'eau, les animaux dorment encore. Soudain tout change en moi, ce n'est plus le paisible étang, mais une rivière en crue engloutissant le village et tous ses habitants... »

« ... Une fois séchées, les nuances apparaissent. Ça représente le soleil qui reflète dans l'eau, c'est un soleil très rouge et au fond de l'eau les algues vertes avec un poisson très luisant. »

• S'il juge cet apport bien venu, l'enseignant peut montrer aux enfants des RECHERCHES ARTISTIQUES PRÉSENTANT DES ASPECTS FORMELS OU EXPRESSIFS SEMBLABLES à ceux qu'ils viennent de découvrir.

— Il n'y a pas là de risque d'une fausse lecture de l'œuvre d'art. Au contraire : les notions venant d'être agies, les enfants dépassent intuitivement la forme immédiate pour saisir l'intention.

SOUTINE : Maternelle, section des grands.

« Les dessins m'ont permis de faire raconter des histoires par les enfants sur des paysages de SOUTINE que les enfants ont particulièrement sentis (...) Autrement dit, ils ont associé inductivement une sensation physique : « le vent dans les arbres », à une vigueur plus ou moins grande du mouvement donné à la peinture, et aux intensités différentes des couleurs : parallèle très net avec leurs propres dessins. »

— Les œuvres sont présentées comme une *convergence de recherches, non comme des modèles.* Faire croire aux enfants qu'ils ne peuvent trouver la solution et qu'il leur faut imiter ce qu'on fait avant eux des génies reviendrait à les mépriser, détruire leur créativité et leur possibilité de s'exprimer, les empêcher de vivre leur propre expérience.

• L'ORNIÈRE DU JUGEMENT. L'ornière de la réalisation est le contour schématique au crayon ; celle de la réflexion sur les résultats est le jugement de valeur. « C'est bien, c'est beau, le mieux est celui de... » Ainsi les enfants non aidés réagissent-ils. L'enseignant donnera une impulsion en demandant d'observer un élément précis.

Finalités

— donner un moyen d'expression,
— développer la créativité,
— affiner et enrichir la perception,
— structurer l'intelligence à partir d'expériences vécues,
— permettre une véritable compréhension de l'art par le dépassement des significations représentées.

Artifice de cette méthode

Les nécessités de l'exposé ont séparé des éléments : préparation, recherche, réflexion, qui se trouvent parfois imbriqués, ou au contraire plus dispersés, dans la vie courante d'une classe.

Quand les conditions sont favorables, la sensation intensément vécue et la créativité possible : l'enfant disposant de matériel, de temps, et ses œuvres étant accueillies, le processus est plutôt le suivant : les activités libres alternent avec des exercices systématiques que l'enfant s'impose, — si l'on peut dire, car cela ressemble à un jeu —, jusqu'à ce que leur répétition aboutisse à une maîtrise qu'il recherche. Si le milieu dans lequel il vit présente une richesse suffisante, l'enfant saura trouver les modèles qui lui conviendront, l'aideront à résoudre ses propres problèmes et à progresser.

Une telle situation organique ne semble pas pouvoir être produite dans le cadre actuel de l'école. Il arrive qu'elle soit encore observable chez des enfants d'artisans ou de cultivateurs mais elle est devenue un fait exceptionnel.

Application à l'élément couleur

Afin d'aider à la « visualisation » des différentes variantes de l'élément couleur, j'ai indiqué des œuvres extrêmement diverses où elles peuvent être observées. Comme il a été dit au cours de ce chapitre, c'est au moment de la confrontation que l'adulte peut faire part aux enfants de ses références culturelles. Les présenter au début du travail reviendrait à imposer un modèle, c'est-à-dire à empêcher toute créativité, toute expression, d'avoir lieu.

Couleur intense par rapport à d'autres couleurs

PROBLEME FORMEL A RESOUDRE	MOTIVATION OU SUPPORT SENSIBLE	MOYENS MATERIELS DE LA RECHERCHE	REFLEXION SUR LES RESULTATS DE LA RECHERCHE - AUTRES ELEMENTS FORMELS QUI APPARAISSENT		REFERENCES CULTURELLES
	Petite épicerie éclairée dans une rue non commerçante	Peinture	matière contours	plus ou moins épaisse, frottée, triturée, œuvrée — virtuel : contact de deux plages de couleurs différentes — limite plus ou moins nette des formes	MIRO CHARDIN : natures mortes
	Lumières de Noël dans le brouillard	Peinture très délayée sur papier mouillé	valeurs		LE NAIN : le verre de vin dans *Les paysans*
	La sardine et son œil	Peinture	composition mouvement	— mémoire de la technique	FAUTRIER
	Pommier avec des pommes dans le brouillard ou dans la neige	Peinture épaisse pour les fruits, diluée, si l'on veut, pour le reste.	espace	— d'un élément à l'autre par le regard — différences de valeurs — formes interrompues par d'autres — transparences — lignes obliques	Alberto BURRI RUBENS : esquisses
		Si l'on craint que les enfants perdent de vue le problème à résoudre, on peut commencer par figurer le brouillard. Le plus naturel est de commencer par les taches que l'on veut valoriser			
On peut partir d'une couleur très vive, mais également mettre en valeur une couleur douce	Il ne faut pas prendre ces thèmes que si les enfants les ont vus, sentis, vécus, sinon il faut en trouver d'autres.				

PROBLEME FORMEL A RESOUDRE	MOTIVATION OU SUPPORT SENSIBLE	MOYENS MATERIELS DE LA RECHERCHE	REFLEXION SUR LES RESULTATS DE LA RECHERCHE - AUTRES ELEMENTS FORMELS QUI APPARAISSENT		REFERENCES CULTURELLES
Nuances d'une couleur					
Plusieurs bleus plus ou moins verts	Reflets d'arbres dans l'eau ; ils auront été vus et mimés	Gouache : mimer par les coups de pinceaux les différentes sortes de feuillages, ou de feuillages. Noyer d'abord tout le papier dans le bleu ou dans le vert.	mouvement durée	des coups de pinceaux le processus d'exécution peut être revécu	Impressionnisme, MONET
			profondeur	suggérée par les traces superposées	
Plusieurs roses plus ou moins violacés, plus ou moins orangés	Bouquet à dominante rose, mais avec plusieurs tendances de rose	Couvrir d'abord tout le papier de rose, procéder par par taches.	composition matière valeurs		MANET
			contours	surtout dans le cas des reflets d'arbres, les formes deviennent des ensembles de contours	
Plusieurs ocres plus ou moins jaunes, plus ou moins verts	Feuilles d'automne jonchant le sol ou s'envolant	Sur le fond ocre, empreintes de feuilles enduites de gouache épaisse.		dans le cas des empreintes de feuilles, contours déchiquetés, pénétrant à l'intérieur des formes	DUBUFFET
		La richesse en nuances dépendra du dynamisme avec lequel les couleurs seront mélangées. Il faut utiliser *toutes* les couleurs qui sont sur la palette ; certains mélanges produisent des couleurs foncées, l'addition de gouache blanche ou d'eau les éclaircit.			

Thème	Sujet	Matériaux	Vocabulaire / Commentaire	Références
Différentes tendances de blanc	Murs de maisons (avec différents mortiers, crépis, ravalements, patines).	Gouache mélangée avec un peu d'autre couleur. Toutes les sortes de papiers blancs et tissus blancs que l'on trouve. Toutes les matières blanches possibles : sucre, sel, farine, riz, plâtre, enduit, gouache, talc, dentifrice, craie... Détails figurés par grattage avec un clou.	**valeurs** : subtiles **matière** : les textures, les sensations tactiles, la technique, jouent un rôle important **composition** : la plupart des formes étant rectangulaires, elles ont un rapport entre elles et un rapport avec le format, lui-même rectangulaire **contours** : — virtuel : contact entre des plages de matériaux différents — réel : matériau enlevé (par grattage), et non déposé. Ce contour garde le souvenir du geste, de l'outil utilisé et des difficultés rencontrées lors du grattage	VIERA DA SILVA Arpad SZÉNÈS DUBUFFET OUDRY : *Le canard blanc* Art non figuratif TAPIÈS

Couleurs de matériaux

Thème	Sujet	Matériaux	Vocabulaire / Commentaire	Références
Rapports de gris colorés très raffinés	Chantier de bâtiment, après avoir observé un chantier. Sol : choisir un sol intéressant, indiqué par les enfants	Brique, charbon, pierre tendre, scories écrasées ou en menus débris. Petits morceaux de bois, sciure, sable, ciment, terre, mastic	**matière** **valeurs** : des différents matériaux **composition** **contours** : limite entre les plages de matière différente, souvent rectiligne, très simple et pas très nette **mouvement** : trituration de certains matériaux ou grattage	DUBUFFET TAPIÈS

PROBLEME FORMEL À RESOUDRE	MOTIVATION OU SUPPORT SENSIBLE	MOYENS MATERIELS DE LA RECHERCHE	REFLEXION SUR LES RESULTATS DE LA RECHERCHE - AUTRES ELEMENTS FORMELS QUI APPARAISSENT	REFERENCES CULTURELLES
La même couleur dans des matières différentes				
	Paysage sous la neige Chambre sous la poussière Un paysage tout bleu	Mélanger la même couleur de gouache avec divers matériaux en poudre ou bien, la passer sur ces matériaux collés	composition contour — virtuel, entre deux matières différentes	Cubisme art non figuratif
Gris colorés				
	Pavés de telle rue Pierres de tel mur Choix de jolis cailloux ramassés Couleurs d'un ciel changeant observé de la classe — Vieux murs crépis ou lépreux	Deux possibilités : à la gouache — à du gris, ajouter très peu de couleur — sans utiliser de noir, mélanger les couleurs les plus opposées, les plus dissemblables : celles qui se trouvent diamétralement opposées sur la palette — Vrais cailloux maintenus dans du mastic	matière — d'épaisseurs différentes, plus ou moins transparentes — valeurs — des gris différents — mouvement — la matière a été œuvrée différemment, selon les « dessins » — rythme — répétition des éléments grandes directions selon lesquelles ils sont disposés	TAPIÈS Impressionnisme VIERA DA SILVA LE NAIN : paysans
Mélange de deux couleurs				
Je choisis ici rose et bleu par transparence	Sensation de suavité : nuages au soleil couchant intérieur d'un igloo ou d'une crevasse	Papier pelure ou à duplicata Ouate de cellulose genre mouchoirs « arc en ciel »; papier cristal ou calque pour le fond	l'espace — Les deux techniques sont très favorables à l'expression de — transparences — valeurs claires soulevées par des valeurs plus foncées	KLEE

pigeon dans le ciel du matin « dame souris trotte, rose, dans les rayons bleus »		ou vaporisations, avec caches ou pochoirs pour marquer les formes : technique physiquement difficile avant le C.E., par contre on peut « faire de la bruine », des éclaboussures, ou utiliser des pistolets à eau	et de la composition	il est plus facile de déplacer des formes mobiles que de modifier des formes peintes	
			mouvement	les formes déchirées sont sensibles, mouvantes grandes directions de la composition	MAN RAY
			rythme	répétition d'une forme, ou d'un élément, ou d'une couleur	POLLOCK
			matière	mécanique : on fait le dessin sans y toucher	
				au contraire, les éclaboussures expriment une certaine violence	MATHIEU

Mélange optique de deux couleurs de même valeur, juxtaposées par petites surfaces

Exercice difficile : il ne suffit pas de mettre des couleurs pures les unes à côté des autres	Rencontre et observation de ce phénomène, soit sur une photo, soit dans la réalité	Gouache, ou papiers déchirés juxtaposés. Surtout pas de « mosaïque » en papier : une mosaïque, cela se fait avec des pierres	composition	les constatations seront d'ordre très différent si l'on a fait un exercice technique sur tout petit format, ou une figuration inspirée par un thème	Impressionnistes Néo-Impressionnistes

Vibration d'un fond à travers une couleur de dessus

Translucide ou en frottis	Exploiter la découverte du procédé par un enfant (cela se produit fréquemment) Beaucoup de thèmes sont possibles	Gouache épaisse, caressée légèrement à la brosse, pour les frottis Gouache délayée, translucide, passée au pinceau	composition		Glacis
			matière		Peinture du XVIIIe siècle français
			valeurs		
			espace	par transparence	ROUAULT
			mouvement	inscrit dans la matière	Impressionnisme

A-plats de couleurs vives

PROBLEME FORMEL À RESOUDRE	MOTIVATION OU SUPPORT SENSIBLE	MOYENS MATERIELS DE LA RECHERCHE	REFLEXION SUR LES RESULTATS DE LA RECHERCHE - AUTRES ELEMENTS FORMELS QUI APPARAISSENT	REFERENCES CULTURELLES
Pas de variations de valeurs à l'intérieur d'une forme colorée	Une affiche	Papier de couleur uni, déchiré et collé	composition couleurs équilibre espace noter que les couleurs se situent différemment dans l'espace, certaines venant en avant, d'autres s'éloignant valeurs du regard du spectateur, d'une couleur à l'autre mouvement	Affiches Certains CHAISSAC

Equilibre de couleurs d'égale Intensité

PROBLEME FORMEL À RESOUDRE	MOTIVATION OU SUPPORT SENSIBLE	MOYENS MATERIELS DE LA RECHERCHE	REFLEXION SUR LES RESULTATS DE LA RECHERCHE - AUTRES ELEMENTS FORMELS QUI APPARAISSENT	REFERENCES CULTURELLES
	Panneau d'affichage avec affiches superposées et plus ou moins arrachées (strates d'affiches) : une telle observation ne peut se faire à la campagne Enseignes lumineuses la nuit	Morceaux d'images publicitaires déchirés et collés, puis arrachés en cours de séchage Monotypes : taches de couleurs vives, sur fond sombre ou intense	composition matière remarque : pour des intensités équivalentes, les couleurs occupent une étendue différente espace suggéré directement par les couleurs	Pop-art MIRO ROTHKO

Destruction de la couleur

Le soir descend on éteint les lumières écorce d'arbre sol	Rien que des couleurs vives sur la palette. Les déposer avec le bout du doigt sur une surface réduite (fond de boîte à camembert par exemple). Les superposer tant et tant que tout finit dans les gris brunâtres	matière	pétrie, destruction de la touche par la touche,	MONET : cathédrales, *Vue de Vétheuil dans le brouillard* au musée Marmottan
		couleur	destruction de la couleur par la couleur	
		rythmes	répétition d'un mouvement pour poser la couleur	
Observation accidentelle ou provoquée : phénomène observé quand on mélange toutes les couleurs vives (sans noir), au moment où l'on nettoie la palette.	Les couleurs peuvent également être superposées avec un couteau à palette.	composition	de plages plus ou moins colorées ou foncées	
		couleur	peu net	
	La destruction peut aussi être opérée par superposition de nombreuses couches de couleurs vives et transparentes superposées (vaporisations)	matière	« mécanique »	KLEE
		composition	rapports des formes entre elles directions	
	ou superposition de papiers transparents de toutes les couleurs	valeurs		
		espace		

Effets de cinétisme

Thème dont on peut donner une version à voir de gauche et une version à voir de droite de façon à ce que les deux puissent se juxtaposer de face. Exemple : masque qui pleure, vu de gauche et qui rit vu de droite.	Feutre sur carton ondulé A la gouache avec un bon pinceau, sur carton ondulé : possible, mais astreignant Gouache sur carton plié en accordéon	composition	rapports des formes entre elles	AGAM
		mouvement	de la couleur	
		couleur	rapports entre les couleurs	
		valeurs		

PROBLEME FORMEL À RESOUDRE	MOTIVATION OU SUPPORT SENSIBLE	MOYENS MATERIELS DE LA RECHERCHE	REFLEXION SUR LES RESULTATS DE LA RECHERCHE - AUTRES ELEMENTS FORMELS QUI APPARAISSENT	REFERENCES CULTURELLES
Expression d'un sentiment par la couleur				
	Cette recherche motiverait plus des adolescents que des enfants. Un bon exemple dans (9) Un jour où la classe partage une émotion commune, en faire prendre conscience (réflexion, intériorisation), avant la projection en formes et couleurs sur le papier	Gouache	tous les éléments de la forme peuvent être présents dans les résultats	VAN GOGH Expressionnistes

autres méthodes actuellement pratiquées

MÉTHODE AXÉE SUR L'EXPRESSION

Arno STERN a mis au point cette méthode.

Les sensations

qui motivent l'expression ne sont ni conscientes, ni récentes : « Dès sa préhistoire, loin dans le passé de sa vie prénatale, l'homme inscrit des sensations dans une mémoire qu'il ne contrôle pas... » « L'expression les puise dans la mémoire non consciente et les projette dans le présent... »

L'acte d'expression

a lieu dans une pièce assez petite, aveugle et silencieuse, sorte de grotte, à des jours et heures fixes. L'accumulation du besoin d'expression favorise celle-ci. Les enfants sont au nombre de 15 environ et travaillent en respectant réciproquement la liberté de chacun. L'éducateur veille aux menus détails de l'organisation matérielle et sécurise affectivement les enfants par sa présence.

Les résultats

ne sont pas « culturels ». L'art et la communication sont exclus des objectifs de la méthode. Les dessins comportent en filigrane des schémas révélateurs de l'expression mais l'éducateur se garde bien de les analyser. Les œuvres de chaque enfant sont rangées et conservées.

Finalités

Dans l'immédiat, l'expression est une hygiène. A plus longue échéance, elle rend l'enfant fort ; créatif en ce sens qu'il saura faire face à n'importe quelle situation ; intégré au groupe.

Une telle méthode se situe aux antipodes du conformisme à l'état pur, évoqué dans le premier chapitre.

MÉTHODE AXÉE SUR LE MOYEN MATÉRIEL OU MÉTHODE « MATIÉRISTE »

Préparation

Le plaisir de manipuler un matériau est parfois tel qu'il peut sembler une motivation suffisante : « Avec des matériaux qui demandent une préparation comme le plâtre, terre, polystyrène, on peut percevoir dans leur manipulation préalable un plaisir visuel, tactile, je n'oserai pas dire gustatif (bien que j'aie souvent surpris des enfants en train de manger ou grignoter la matière) qui oriente précisément ce qu'ils feront après ». Maternelle; section des grands.

Réalisation

« Placer la colle sur le papier est directement lié au désir des enfants d'avoir un contact direct avec la matière, de même le fait de râper est un mouvement répétitif prenant, qui concentre l'attention et le plaisir sensoriel de l'enfant en même temps ». Maternelle, section des grands.

Quand l'exercice ne comporte pas de problème formel à résoudre, il consiste en une succession de réalisations que j'appelle « défoulement » ou « cuisine », et qui n'engagent pas beaucoup l'intelligence. Le cas peut se produire aussi bien avec des enfants de la maternelle qu'avec des adultes : ces derniers sont tellement « sevrés » sur le plan sensoriel que, lorsqu'ils ne rejettent pas la manipulation, ils perdent tout esprit critique vis-à-vis des résultats, ou plutôt de l'absence de résultats.

Au contraire, dans le cas où il faut donner une apparence formelle à une sensation préalable, ou à un thème porteur de sensation, la réalisation engage les élèves à un certain dépassement : voir le paragraphe : « lutte avec le matériau ».

Résultats

Le danger d'une méthode matiériste qui s'en tient à la manipulation est d'amener à ne voir que le côté épidermique de l'art, très en vogue actuellement dans les productions commerciales : « sous-VLAMINCK », peintures « torchées », « croûtes », batik nébuleux ou émaux dégoulinants, des lieux touristiques.

Exemples fréquemment rencontrés dans les écoles : les papillons obtenus par pliage d'un papier portant des paquets de gouache pure ; les taches d'encre sur lesquelles on souffle avec une paille et les « diapositives » : collages de matériaux translucides auxquels la colle, avec ses petites bulles, donne une saveur supplémentaire. La projection de ces « diapositives » procure une satisfaction à bon compte.

L'examen critique des résultats peut toutefois servir de départ à des recherches plus exigeantes. Les résultats eux-mêmes peuvent servir de matériel : par exemple, des effets de matière au lavis peuvent être déchirés et collés en vue d'une composition.

La finalité

peut être la recherche de la facilité ; elle peut être aussi une réhabilitation des sensations visuelles, tactiles ; elle peut même être une thérapie : pour des enfants en difficulté, le contact avec la matière est un premier pas vers la communication. Dans une classe, cette manipulation donne toujours lieu à une communication non verbale intense qui modifie sensiblement les relations à l'intérieur du groupe.

MÉTHODE AXÉE SUR LE THÈME

Cas général : résultats conventionnels

Très fréquemment, les enseignants pensent qu'un thème *intéressant* doit donner lieu à des résultats riches. Ainsi proposent-ils des illustrations de contes, des dessins de mémoire : « dessinez la forêt », (après la sortie en forêt), « dessinez les poissons que vous avez vus à la télévision avant-hier » ; « les trois escargots qui vont à l'enterrement d'une feuille morte », ou le « petit chaperon rouge ».

Le plus souvent, ces thèmes ont donné lieu à une foule d'impressions de tous ordres, dont la plupart sont restées diffuses. L'enfant, ne sachant laquelle choisir ni par quel moyen l'exprimer, se réfugie dans la routine technique de schémas conventionnels coloriés. L'enseignant est déçu par la pauvreté des résultats.

« Révélateur » d'un tel échec :

Les résultats
ne correspondent pas au thème proposé

Dans un cours préparatoire de la banlieue parisienne, l'institutrice a demandé de « représenter la jacinthe qui avait éclos pendant le week-end ». « Certains enfants ont dessiné des arbres au lieu de la jacinthe ». L'on aurait peut-être pu leur faire constater que le bouton vert grossissait, puis s'épanouissait, (regarder de tout près, à la loupe) ; suggérer à l'enfant d'enduire un papier de couleur verte assez liquide et lumineuse. Puis de tremper un tampon de tissu dans du rose et de frotter la feuille très fort pour chasser le vert ; si l'on voulait garder ce thème, conventionnellement beau mais offrant peu de possibilités.

L'exception

Il arrive de trouver, parmi tous les résultats inintéressants, un dessin naïf, touchant, amusant, voire bouleversant sur le plan de l'expression. Le thème comportait alors une résonance affective, sentimentale, cosmique, pour l'enfant ou l'adolescent, suffisamment confiant en l'adulte pour donner forme à son émotion. Un tel fait est trop rare pour justifier une méthode basée sur le thème.

Finalité

Tout au plus peut-on dire que cette méthode est libérale et ne nuit pas aux enfants. Elle ne détruit pas, mais ne développe pas non plus, la sensibilité, la créativité, l'intelligence.

MÉTHODE AXÉE SUR LA FORME OU MÉTHODE « FORMALISTE »

Point de départ

« Vous allez faire toutes sortes de verts » (sous-Impressionnisme). « Vous divisez un rectangle uniquement par des verticales et des horizontales » (sous-MONDRIAN).

« Fermez les yeux, faites un gribouillage. Remplissez les intervalles du réseau obtenu par des couleurs » (sous-sous-sous Paul KLEE). Cette recette est tellement séduisante, elle permet de « faire de l'art moderne » à si peu de frais, qu'elle connaît un succès généralisé dans les écoles.

« Tracer un réseau d'horizontales, légèrement ondulantes, à des intervalles inégaux, dessiner des formes (fleurs, personnages), s'appuyant sur ces lignes » (sous-Paul KLEE).

De tels exercices pourraient dériver du tableau « Application à l'élément couleur » si l'on supprimait la deuxième colonne; utilisation qui trahirait non seulement le tableau, mais tout ce livre.

La plupart de ces exercices sont non figuratifs, au sens traditionnel, et revêtent des formes à tendance géométrique. Ils ne prennent pas appui sur une sensation. L'enseignant propose généralement un moyen matériel favorable.

Recherche, résultats

La recherche est une démarche agréable et superficielle. Les mêmes qualificatifs s'appliquent à la relation pédagogique qui n'engage personne, ni l'enseignant, ni les élèves.

La réflexion sur les résultats tend à faire croire que la peinture est une « surface plane couverte de couleurs en un certain ordre assemblées » et que l'on peut peindre quand on n'a rien à dire.

Conditions d'application

— Dans l'enseignement secondaire surtout, en raison de l'ignorance où l'on se trouve des intérêts des enfants, de leurs sensations qu'ils réservent soigneusement pour la vie extra-scolaire, il est difficile de ne pas succomber à la tentation formaliste. S. FONTANEL-BRASSART (9) a vu clairement le problème et dépensé des trésors d'ingéniosité pour le résoudre en réactivant les sensations que les adolescents pouvaient vivre dans leur corps propre et par le contact avec des objets.

— Il faut noter quelques tentatives de méthode formaliste dans les écoles élémentaires et préélémentaires. Elles sont parfois le fait d'enseignants munis d'une culture artistique presque contemporaine. Dans la plupart des cas, elle est appliquée aveuglément, à partir de livres ou de fiches pédagogiques séduisants par leur « modernisme » et la facilité des applications qu'ils proposent.

Références culturelles

Pratiquée à l'étranger (d'abord aux Etats-Unis, puis en Allemagne après 1945, au Japon, en Angleterre, en Hollande, en Suisse)..., sous l'influence de professeurs du Bauhaus émigrés, elle commence seulement à se répandre en France. L'impulsion semble venir de l'expérience de M. CARRADE et A. CHAMINADE à « l'Ecole Alsacienne », interprétée superficiellement et de façon erronée comme un système formaliste. La diffusion a lieu, au niveau de l'enseignement secondaire, par de jeunes professeurs ayant reçu une formation de décorateurs. Elle se fait, au niveau de l'enseignement élémentaire par le canal de séries de livres illustrés, passant en revue toutes les possibilités d'un élément de la forme : le point et la ligne, par exemple.

Peut-être ce « formalisme » est-il une réaction inévitable contre le « réalisme » qui a survécu et survit encore dans la pédagogie des arts visuels. Il n'est cependant pas souhaitable ni obligatoire de remplacer un système, un académisme, par un autre.

L'académisme

consiste à analyser la forme d'un art accompli afin de l'imposer comme modèle. Cette forme n'a plus de contenu, elle est vide de sens pour ceux qui l'imitent. La pédagogie du « formalisme » en art, étudiée ici, est un académisme de « l'art moderne », c'est-à-dire d'un art où les éléments de la forme se sont objectivés, à la suite des révolutions impressionniste et cubiste. En particulier, l'œuvre de Paul KLEE se prête inépuisablement au pillage. Le fond du problème est de savoir s'il est possible d'enseigner, dans le cadre actuel de l'école, autre chose qu'un académisme. Je ne le crois pas : l'école a pour fonction de transmettre les modèles consacrés par la société. Une pédagogie qui élabore un nouveau savoir subit un phénomène de rejet. Par contre, il me semble possible de prendre appui sur l'expérience vécue des enfants pour donner un sens aux formes, aux structures.

Finalité

La finalité annoncée par les tenants des méthodes formalistes est souvent : « Je leur donne des moyens pour qu'ils puissent s'exprimer ». L'enseignant sait fort bien qu'il se donne un alibi ; qu'il prive ses élèves de l'infime possibilité de s'exprimer que leur laissait l'horaire scolaire dans les « petites classes » et leur enseigne le moyen de ne pas s'exprimer. L'on retombe dans la pédagogie normative analysée dans le chapitre 1 : elle a changé d'habit mais tend vers le même but : le conformisme.

MÉTHODE AXÉE SUR LA SOCIALISATION

Point de départ

L'enseignant donne un problème formel à résoudre et décide (ou bien les élèves décident), d'une règle du jeu : la façon dont chacun interviendra dans l'élaboration d'un travail collectif ou de travaux qui passent par plusieurs mains ; éventuellement, d'un code à respecter.

Réalisation

Au début, l'enseignant est le meneur du jeu ; souvent, les élèves prennent le relais. L'exercice se déroule selon un rythme alerte que l'adulte veille à maintenir ou à varier. Les livres de S. FONTANEL-BRASSART (9) et de L. PORCHER (14) sont riches en suggestions de cette forme de travail que je suis peu apte à décrire et à analyser, ne l'ayant jamais pratiquée : l'expression artistique m'apparaît spécifiquement individuelle, sauf dans le cas d'une œuvre considérable à exécuter : décoration d'un bâtiment, livre, film...

Les finalités

consistent à permettre aux timides de s'exprimer, à tous d'acquérir le sens des responsabilités : chacun est responsable de son intervention ; elles permettent aussi de socialiser les enfants ; de provoquer la réflexion commune sur le résultat.

MÉTHODE AXÉE SUR UNE « COMBINATOIRE »

Principe

La réalisation consiste à donner forme au système formé par les éléments premiers de l'apparence visuelle suivant les variations d'un ou plusieurs de ces éléments .

Supposons un dégradé allant du bleu foncé au bleu clair :

couleur ⎫
matière ⎬ sont constantes
forme ⎭
la valeur varie

| BLEU FONCÉ |
| BLEU MOYEN |
| BLEU CLAIR |

Remarque : le résultat comporte un mouvement : du foncé au clair ou du clair au foncé, ainsi qu'un espace, selon qu'on voit le clair reculer ou, le plus souvent, avancer. Autrement dit, les éléments seconds peuvent être élaborés à partir des résultats.

Point de départ

Au départ du dégradé ci-dessus, il y a eu choix :

— du ou des éléments variables. L'élément variable aurait pu être la couleur :

BLEU VERT
BLEU
BLEU VIOLET

— de la direction de la variation : le bleu s'éclaircit en descendant, il aurait pu s'éclaircir en montant :

BLEU CLAIR
BLEU MOYEN
BLEU FONCÉ

— de la forme : ici, rectangles horizontaux égaux et qui aurait pu être toute autre :

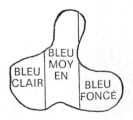

— Les quatre éléments formant un système, l'on peut décider de représenter l'intersection de deux ou plusieurs systèmes et comment sera composée cette réalisation :

JAUNE FONCÉ	VERT FONCÉ	BLEU FONCÉ
JAUNE MOYEN	VERT MOYEN	BLEU MOYEN
JAUNE CLAIR	VERT CLAIR	BLEU CLAIR

JAUNE FONCÉ	VERT MOYEN	BLEU CLAIR
JAUNE MOYEN	VERT MOYEN	BLEU MOYEN
JAUNE CLAIR	VERT MOYEN	BLEU FONCÉ

Ces exemples élémentaires montrent que de telles recherches ne partent pas d'une sensation, mais d'une conception individuelle qui peut aussi, sans dommage, être élaborée collectivement.

La réalisation

Cette méthode de recherche, qui fait du matériau l'auxiliaire docile d'une conception préalable, se situe à l'opposé des méthodes matiéristes. Juan GRIS posait ainsi le problème :

« Un peintre de mes amis a écrit ceci : « On ne fait pas un clou avec un clou, mais du fer ». J'ai le regret de le contredire, mais je crois justement le contraire. On fait un clou avec un clou, car si l'idée de la possibilité du clou n'était pas préalable, on risquerait fort, avec la matière employée, de fabriquer un marteau ou un fer à friser. » La réalisation n'est plus qu'une exécution extrêmement rigoureuse. Elle demande une certaine habileté et du matériel d'excellente qualité.

La réflexion sur les résultats

permet de constater les éléments seconds : mouvements, espace, tensions, rythmes.

Finalités

La démarche, très rationnelle, participe beaucoup des mathématiques auxquelles elle peut aboutir ou dont elle peut être une application. Elle développe l'esprit de rigueur, l'esprit ludique (le jeu considéré comme une « activité organisée par un système de règles ») et la créativité. Elle n'est pas incompatible avec l'art et participe même de certaines recherches contemporaines : Op-Art.

La méthode formaliste analysée précédemment est une caricature de celle-ci : au lieu de proposer une recherche, l'enseignant impose des résultats comme modèle.

4

LA CULTURE ?

Chacun des chapitres qui précèdent a posé le problème de la culture : références culturelles de la « leçon de dessin » ; propositions en vue de constituer un objet de l'enseignement des « arts visuels » prenant appui sur une culture en principe contemporaine ; possibilité de greffer la culture sur l'expérience des enfants...

L'acte d'enseigner ne peut esquiver ce problème et l'acharnement avec lequel la culture est revendiquée laisse à penser qu'elle doit être une arme qu'il faut connaître.

de quelle culture s'agit-il ?

E. Morin (11), a démêlé les fils apparemment inextricables de ce problème, avec leurs tenants et aboutissants. Selon son analyse, « Le mot culture oscille entre, d'une part, un sens total et un sens résiduel, d'autre part, un sens anthropo-socio-ethnographique et un sens éthico-esthétique » : la *« culture cultivée »*. Cette dernière conception est « très fortement valorisée : le cultivé s'oppose éthiquement et élitiquement à l'inculte. »

Dans ce chapitre, j'aurais voulu me limiter à ce sens de « culture cultivée », familier aux enseignants, mais l'analyse des méthodes de transmission de la culture conduit à envisager une notion plus globale de celle-ci : « système faisant communiquer — dialectisant — une expérience existentielle et un savoir constitué » ; la façon dont sont assumés ou niés chacun de ces termes (expérience existentielle et savoir constitué) ; la relation qu'établit entre eux l'enseignant.

Il paraît enfin utile de remarquer les résonances affectives éveillées par le mot : la culture suppose un don de ceux qui la possèdent ; rejetée ou convoitée par ceux qui ne l'ont pas, les attitudes de surface cachant souvent une culpabilisation.

pourquoi la culture ?

Il y a une raison, ou des raisons, pour qu'elle soit revendiquée par tous les partis, de l'extrême gauche à l'extrême droite, et même par des tendances syndicales « apolitiques ». Elle est considérée comme une valeur : la quintessence de l'humanisme, un privilège de la classe sociale dominante, un bien de consommation.

Tantôt la culture est une revendication désintéressée, louable : elle a pour fin l'épanouissement de la personnalité et tout homme, quelle que soit sa classe sociale, devrait en bénéficier. Tantôt la culture et sa démocratisation sont un prétexte mobilisateur de forces militantes dans la lutte politique. Enfin, plus subtilement, elle peut être un moyen d'uniformiser les esprits, intérioriser la répression des tendances non conformistes, renforcer le prestige des possédants de la culture, « former un public », des consommateurs, et bien leur inculquer l'idée qu'ils ne peuvent être des créateurs.

comment la culture peut-elle s'acquérir ?

Apport de la sociologie

Les sociologues P. BOURDIEU et A. DARBEL (4) ont observé statistiquement que la fréquentation des œuvres d'art est fonction de l'élévation du niveau d'instruction et du niveau social. Ils expliquent l'efficacité de ces facteurs, non par un *don,* mais par la *maîtrise d'un code :* « code proprement artistique, qui, en autorisant le déchiffrement des caractéristiques spécifiquement stylistiques, permet d'assigner l'œuvre considérée à la classe constituée par l'ensemble des œuvres d'une époque, d'une société, d'une école ou d'un auteur (« c'est un CÉZANNE ») ». Ce code s'acquiert, dans les milieux sociaux favorisés, par une familiarité précoce avec les œuvres, l'instruction renforçant cet acquis préalable. Ceux qui n'ont pas reçu de leur famille ou de l'école la maîtrise du code et celle des mots permettant de saisir et de désigner les catégories stylistiques ne peuvent appréhender l'information proposée par l'œuvre ni en « *saisir l'intention* ».

P. BOURDIEU et A. DARBEL assimilent les différents niveaux de la perception, observables sociologiquement, et la connaissance du code, aux différents niveaux de l'interprétation de l'œuvre selon la méthode iconologique de E. PANOFSKY (12), à laquelle ils font référence.

Apport de l'iconologie

ou science de l'interprétation des œuvres d'art.

Les OUTILS de l'interprétation sont l'« *expérience pratique* », la « *connaissance des sources littéraires* », « *l'intuition synthétique.* »

CES TROIS OUTILS SONT *contrôlés* respectivement par la connaissance des « *styles,* » des « *types* » : « objets et événements » exprimant des « thèmes ou concepts spécifiques », des « *symboles* » en général : « thèmes et concepts exprimant les « tendances essentielles de l'esprit humain. »

Les NIVEAUX D'INTERPRÉTATION qu'ils permettent respectivement d'atteindre sont : — le « sujet *primaire* ou *naturel* » (motif) ;

           — le « sujet *secondaire* ou *conventionnel* » (image, histoire, allégorie) ;

           — la « *signification intrinsèque* ou *contenu* » (valeur symbolique).

Ces divers modes d'enquête fusionnent en un « processus unique, organique, indivisible. »

REMARQUE 1. Tout en notant que la reconnaissance des styles est une « condition nécessaire mais non suffisante » de l'appréhension adéquate de l'œuvre, P. BOURDIEU et A. DARBEL semblent attribuer à cet aspect de l'interprétation une très grande importance relative. Il en va inversement de « l'intuition synthétique », conduisant à la « signification intrinsèque ».

REMARQUE 2. La sociologie s'accorde avec l'iconologie pour considérer la saisie et la désignation des « propriétés sensibles de l'œuvre ou l'expérience émotionnelle que ces propriétés suscitent » comme des catégories appartenant à l'expérience quotidienne et non à celle de l'œuvre d'art.

application à la pédagogie

Le problème peut se poser en ces termes : comment faire accéder les enfants à la compréhension des arts visuels ? Ou bien : comment faire bénéficier tous les enfants de l'enrichissement qu'apporte leur contact ?

Première méthode :
l'interprétation selon Panofsky

PRINCIPE. Le sens de l'œuvre d'art serait rendu accessible aux enfants par l'enseignant capable de l'interpréter suivant la méthode iconologique.

CONDITIONS DE MISE EN ŒUVRE Il faut lire les admirables études de E. PANOFSKY pour comprendre qu'une si passionnante entreprise est l'affaire de chercheurs : l'histoire est conçue comme une enquête, non comme un savoir, E. PANOFSKY ayant élaboré sa méthode dans une perspective d'historien-humaniste. Elle me semble difficilement accessible à des enseignants qui n'y sont pas préparés et doivent assurer 20 à 27 heures de « cours » dont l'interprétation des œuvres d'art n'est pas le seul objet.

RÉALISATIONS PRATIQUES. Elles aboutissent souvent à une caricature : l'œuvre d'art est considérée comme une représentation, image, discours, dont la signification est explicite. L'interprétation se limite en fait au second niveau selon E. PANOFSKY, effleurant le premier pour qui sait identifier et situer un style, ignorant le troisième : « sens immanent » ou « contenu » de l'œuvre. Le moyen de la réflexion en a supplanté la fin.

Exemples :

— Le mouvement propre du tableau est assimilé à celui des personnages représentés. On en conclut que des tableaux qui ne comportent pas de personnages humains ne se prêtent, de la part de l'enfant, à aucune imitation gestuelle.

— Confusion entre les contenus explicite et implicite de l'œuvre la « Vierge à la chaise », de RAPHAËL, « ce merveilleux coquillage, d'une volute si pure et si bien roulée » (8), semble, par son sujet, une œuvre d'art religieux.

— Le sens réel d'une œuvre et le sens que lui attribue l'artiste coïncideraient : ainsi, la peinture de ROUAULT n'exprimerait-elle que des sentiments élevés, sacralisant la misérable condition humaine. La peinture de Juan GRIS, lue conformément aux écrits du peintre, donne une grande satisfaction d'ordre rationnel. Affranchi de la représentation de l'objet, J. GRIS préfigurerait l'orientation des recherches de l'Op Art (VASARÉLY). Mais ses peintures les plus accomplies nous unissent, par la ferveur vouée aux objets rituels de la nourriture quotidienne, à toute une tradition espagnole, teintée d'ascétisme religieux, remontant à VELASQUEZ et ZURBARAN. L'équilibre, l'harmonie sereine des compositions, des proportions, des formes, du bleu extraordinairement suave et des « terres », nous entraînent très loin dans le temps, au bord de la Méditerranée. L'émouvant duel de la lumière incandescente et de l'obscurité, ce rai tombant en cascade sur les objets immobilisés dans la nuit, semble transmettre le souvenir d'un intérieur méridional où venait se réfracter le soleil capté par un interstice des volets clos. Ces quelques significations possibles de son œuvre, J. Gris les a-t-il écrites, J. Gris les connaissait-il, des gens participant d'une autre culture que la nôtre ne les renouvelleront-ils pas ? Il me semble que si l'œuvre de J. Gris se limitait à ce qu'il en a écrit, elle ne dépasserait pas le niveau de l'œuvre de A. Lhote et pourrait susciter l'intérêt, non la délectation.

— Une œuvre d'art plastique est rapprochée d'œuvres musicales ou littéraires en fonction du thème, de l'idée, et non du contenu ni du style : sur le thème du cirque, « Les Forains » de H. Sauguet, « l'Ecuyère » de Seurat, « Dans la plaine les baladins » d'Apollinaire, sont présentés ensemble dans une classe, sous prétexte de « créer un climat ».

— La méthode psychanalytique interprète le thème représenté par la méthode d'analyse du rêve selon Freud. Exemple : « Sainte Anne, la Vierge et l'Enfant », de L. de Vinci (2).

Analyse de cette pratique.

Chacune de ces méprises reflète, appliquée à un domaine nouveau : « l'acculturation », les attitudes traditionnelles constatées au sujet de « la leçon de dessin » :

— Priorité donnée à l'idée traduisible par le verbe.

— Point de vue logique et même pratique sur le message porté par l'œuvre, limitation au contenu objectivement accessible de ce message, la crainte de l'intuition ôtant la possibilité d'atteindre au contenu immanent : à ce niveau, malgré la rigueur de sa méthode, Panofsky donne place à « l'intuition synthétique », dans « l'équipement pour l'interprétation ».

— Censure de la sensation qui conduit à amputer la description préiconographique de la fonction expressive des formes, plus étroitement que E. Panofsky lui-même qui faisait le lien entre celle-ci et le contenu immanent.

De telles attitudes sont confirmées par cette citation : « Sans doute peut-on admettre que l'expérience interne, comme capacité de réponse émotionnelle à la connotation (par opposition à la dénotation) de l'œuvre d'art, constitue une des clés de l'expérience

artistique. Mais Monsieur Raymond RUYER oppose très judicieuse-
ment la signification, qu'il définit comme « épicritique », et l'expressivité, qu'il décrit comme « protopathique », c'est-à-dire plus
primitive, plus fruste, de niveau inférieur, liée au diencéphale,
alors que la signification est liée au cortex cérébral. » (« Eléments
pour une théorie sociologique de la perception artistique » de
P. BOURDIEU, revue « Noroit » n° 134-135, 1969).

La dévalorisation du « *choc esthétique* » au profit de la signification de l'œuvre est justifiée arbitrairement, de façon « pseudo-
scientifique » pourrait-on dire, par référence à des recherches en
psychologie et physiologie.

Deuxième méthode : « l'imprégnation »

PRINCIPE. Cette méthode tente de reproduire à l'école, en le concen-
trant de façon à compenser le handicap des enfants *socialement,*
(non pas naturellement) défavorisés, le « bain de culture » familial
des enfants favorisés. Il s'agit donc d'une application directe de la
démonstration sociologique de P. BOURDIEU et A. DARBEL.

VARIANTE 1. Montrer aux enfants le plus possible, le plut tôt possible et le plus souvent possible, des œuvres d'art. P. BELVÈS relate
une telle pratique commencée dès l'âge de seize mois à l'aide de
reproductions s'étoffant bientôt d'un dialogue devant l'œuvre d'art
et d'activités « libres et créatrices » : « Voici le coq de CHAGALL.
comment va être le vôtre ?... »

« Le goût se forme ainsi très tôt. Il profite d'un instinct malléable
et confiant. Ces premières impressions esthétiques ont une importance décisive sur le comportement futur de l'enfant ». (L'école
maternelle française, Armand Colin-Bourrelier, n° 7, mars 70).

VARIANTE 2. Peinture, musique, poésie sont présentées simultanément, plus souvent liées par un thème commun que par une pa-
renté de forme. L'expression orale ou écrite en présence des œuvres permet de constater l'enrichissement qu'apporte à l'enfant un
tel « cumul ». Il arrive même que par surcroît on l'incite à « s'exprimer par le dessin » ou à « créer ». La pauvreté des résultats
confirme la primauté habituelle de l'idée sur la sensibilité aux
apparences visuelles. On n'y trouve pas plus de richesse harmoni-
que, rythmique, technique, que dans les habituels « dessins libres ».
Il faut noter aussi que la « création », — une certaine conception
de celle-ci —, est l'aboutissement, non pas le départ, de telles
démarches.

VARIANTE 3. Il arrive que la reconstitution d'œuvres d'art visuel soit recommandée aux enseignants. Je n'ai jamais vu ni entendu relater un tel exercice, contrairement à ce qui se passe en enseignement du français où on lui reconnaît beaucoup d'intérêt.

L'analyse qu'en donne M. ROUCHETTE, dans un texte ronéotypé, non daté, vraisemblablement antérieur à celui d'octobre 70, émanant de l'INRDP :

« Il s'agit d'une sorte d'*imprégnation immédiate des formes syntaxiques qui laissent dans l'esprit, — en dehors même de leur contenu significatif* — des structures, des schèmes, des « moules » dont l'enfant disposera pour « couler » sa pensée, dans le travail inconscient de la création... »

On voit ici le pas franchi en pédagogie du français, grâce à la linguistique, mais on voit aussi la valeur accordée aux exercices d'imprégnation.

Ces variantes sont très proches et semblent poursuivre une même finalité qui est de « former » l'enfant au sens étymologique du mot : « Formare : pétrir la matière et lui donner une forme ». La variante 1 est la plus consciente de ses objectifs.

VARIANTE 4. P. BOURDIEU et A. DARBEL déduisent logiquement de leur démonstration une autre variante de l'imprégnation : la « connaissance des codes », inculquée par le biais d'un entraînement systématique à la « reconnaissance des manières stylistiques ». Sans nier le côté un peu primaire de ce procédé pédagogique, ils le proposent comme moyen à la portée de l'école pour lutter contre l'injustice de la ségrégation culturelle, au lieu de la renforcer.

Bien que la finalité en soit louable, j'éprouve des réticences envers une telle méthode : — sans être aussi « formatrice » au sens étymologique que les variantes 1, 2, 3, elle oriente vers l'information passive et diffuse plus que vers « l'enquête ».

— La corrélation d'ordre sociologique entre la fréquentation des œuvres d'art et une reconnaissance plus ou moins affinée des styles n'implique pas obligatoirement une corrélation d'ordre artistique. Cette reconnaissance n'est qu'un principe de contrôle de l'interprétation au niveau préiconographique. Grâce à elle on peut par exemple reconnaître, dans le tableau de Van der WEYDEN, « la vision des Rois Mages ». Est-ce suffisant ? Cette reconnaissance ne saurait constituer ni même conditionner tout l'acte d'interprétation.

La reconnaissance des styles semble souvent n'être qu'un repère donné par l'éducation en vue de la pratique d'un rite social : la visite d'expositions ; permettant aussi de se signaler intellectuellement et socialement lors de rencontres dans ces expositions ou de conversations de salon. Elle peut se limiter à n'être qu'un schème perceptif d'ordre pratique, inopérant pour l'interprétation et même pour la saisie du « sens phénoménal » de l'œuvre. Je craindrais que la reconnaissance des styles, au départ de « l'acculturation » soit, non pas une condition nécessaire, mais un handicap. Cela reviendrait un peu à convertir à une religion en inculquant une pratique rituelle : celle-ci peut mener à l'objet de la foi mais peut aussi le voiler.

Premières recherches en vue d'élaborer une autre méthode

PRINCIPE. Au risque de trahir E. PANOFSKY, je proposerais à l'enseignant de donner le pas à la fonction expressive sur la fonction de signification des œuvres, en les considérant comme des formes plutôt que des images ou discours.

Un tel regard attentif sur les apparences permet de pressentir leur sens immanent, puis d'y accéder, que les œuvres soient figuratives ou non. Il n'exclut : ni la connaissance des styles, ni la recherche de la signification idéelle — mais ce besoin vient après dans le temps pour enrichir, confirmer la signification implicite, ou bien l'exacerber en la contredisant. Une appropriation active des formes, n'aboutira-t-elle pas à une connaissance précise, explicite, plutôt que diffuse, de leurs variantes selon les diverses conditions historiques.

Plutôt que séparer ou porter des jugements de valeur sur les différents niveaux de l'activité cérébrale pour justifier une pratique amputée d'une de ses dimensions, il me semble préférable, en l'état actuel des connaissances : dépassement du point de vue positiviste, apports de la linguistique à l'esthétique, de proposer à l'enfant une attitude plus globale, assumant la totalité de l'expérience de l'œuvre d'art. Je le fais avec d'autant plus de conviction qu'à mon avis cette expérience ne vaut la peine d'être vécue qu'en fonction du « choc esthétique » ; sinon elle n'est que vernis emprunté, simulacre, vaine activité.

« Plaisir désintéressé, désimpliqué, désengagé, et pourtant saisissement organique, tension du corps, vertige profond, parfois même exaltation violente, quand on aime vraiment quelque chose dont la splendeur nous étreint comme une puissance implacable. Oui, le plaisir esthétique est en ce sens un événement physique, une fête du corps, quelque chose comme une danse mimétique immobilisée... » (14)

« Le tableau ne sera pas regardé passivement, embrassé simultanément d'un regard instantané par son usager, mais bien revécu dans son élaboration, refait par la pensée et si j'ose dire re-agi. La truelle qui a tracé quelque ornière, il en revivra et ressentira tout au long le mouvement, il se sentira labouré par le sillon de cette truelle, écrasé ici par le poids d'un paquet de pâte, égratigné là dans sa chair par un trait de grattoir acéré. Toute une mécanique interne doit se mettre en marche chez le regardeur, il gratte où le peintre a gratté, frotte, creuse, mastique, appuie, où le peintre l'a fait. Tous les gestes faits par le peintre il les sent se reproduire en lui. Où des coulures ont eu lieu il éprouve le mouvement de chute visqueuse de la pâte entraînée par la pesanteur ; où des éclatements se sont produits il éclate avec eux. Où la surface s'est plissée en séchant, le voilà qui sèche aussi, se contracte et se plisse. » (6)

Conditions de la mise en œuvre de ces principes avec des enfants.

Le problème consiste à éviter le rejet ou la « cécité » en préparant le *regard*, au sens ancien du mot : considérer avec attention, sur une œuvre précise.

Ce regard ne peut avoir lieu qu'*à partir d'expériences vécues par l'enfant ;* expériences récentes ou plus anciennes réactivées ; expériences conçues comme une saisie active du réel, non comme une familiarisation passive à celui-ci. « La *connaissance de l'art commence, en effet, moins par des notions que par une expérience* et c'est le propre de cette expérience de s'établir d'abord et avant tout au niveau du corps... » (3)

Cette préparation comporte un écueil : l'enseignant aura tendance à préparer à *sa* propre vision de l'œuvre, tributaire de sa culture, de sa sensibilité personnelles. Il lui faut tenir compte, autant que possible, de la non concordance de son expérience avec celle de ses élèves. Par exemple, si des petits citadins sont attirés par « les meules » de Monet, le mobile de cet attrait ne sera pas, comme pour certains adultes, la nostalgie d'anciens souvenirs campagnards. La préparation devra donc écarter délibérément cette orientation.

Au moment du regard sur l'œuvre, il est souhaitable que l'enseignant évite de s'interposer entre celle-ci et les enfants afin qu'ils assument leur propre vision de l'œuvre, et n'intervienne que s'il craint un échec de l'expérience. Il n'est pas indispensable, ni sans doute souhaitable que les enfants parlent : la parole est incompatible, (sauf peut-être chez les petits), avec le choc esthétique. Elle demande une distanciation vis-à-vis de l'œuvre qui empêcherait sa saisie en la faisant considérer comme un objet.

ESSAIS DE PRATIQUE

Les nymphéas de Claude MONET, dans une classe de CE1, Paris.

Une bonne préparation si elle est possible, est l'observation d'un plan d'eau entouré de verdure sous divers éclairages. Les enfants sont sensibilisés aux variations de la couleur selon la lumière. De bonnes photographies en couleurs pourraient constituer une aide. A défaut, les variations des couleurs selon les éclairages peuvent être observées sur l'environnement immédiat : murs de la classe, objet éclairé à contre-jour ou de face, reflets provoqués par un écran de papier argenté sous des lumières colorées...

Ces variations servent de « support » à l'exécution de nuances de bleu allant du bleu-violet au bleu-vert, ou de nuances à dominante gris-bleu. Sur ce fond, des coups de pinceaux déposent et superposent les traces de gestes mimant la forme d'éléments observés sur le motif ou au moment de l'exécution, ou même imaginés, peu importe, pourvu que l'enfant soit sensible à des formes et les mime.

Les dessins sont ensuite confrontés et permettent de constater et nommer :

— les nuances, les gris colorés, éventuellement les mélanges optiques, la qualité d'une gamme : un enfant a dit d'un dessin aux nuances délicates qu'il était « argenté » ;

— les épaisseurs variables de la gouache, transparence, translucidité, frottis ;

— de mimer le caractère expressif et le mouvement des coups de pinceaux d'après leurs traces ;

— de restituer l'ordre d'exécution ;

— de rêver sur la profondeur suggérée par la superposition et l'entrecroisement des traces.

L'exposition DUBUFFET *au Grand-Palais,* préparation des élèves d'une grande section de maternelle, Paris.

Projection de diapositives en couleurs représentant des détails de sols et de murs intéressants par la matière, les couleurs et les traces. Les enfants ont très bien identifié ces gros plans de sujets réputés sans intérêt, inexistants ou même « laids » (murs lépreux). Ils ont perçu et exprimé :

— les différentes qualités de blancs : plus ou moins beige, rose, gris, des enduits ;

— les nuances de gris : gros plans de pavés ;

— la superposition des graffiti plus ou moins anciens, leurs cheminements ;

— les empreintes ;

— ils ont mimé les directions des différentes traces, c'est-à-dire revécu les gestes qui leur avaient donné naissance ;

— ils ont découvert avec enthousiasme les visages ou personnages que l'on peut deviner, imaginer à partir des taches sur les murs.

En cours de projection, ils ont :

— dessiné des traces au feutre d'après les graffiti,

— creusé des traces avec des outils de sections variées, dans la glaise,

— moulé des empreintes d'objets dans du plâtre.

Les jours suivants ils ont exécuté des travaux de terre, plâtre, sable, mêlés à de la colle Rémi épaisse. Ils ont ajouté des paquets de colle, des granulés de plastique. Les résultats évoqueraient, toutes proportions gardées, certains Niki de SAINT-PHALLE. Ils ont fait également des peintures de couleurs vives recouvertes de « boue » grise (mélange des couleurs vives), griffées ensuite avec les ongles pour faire réapparaître les couleurs vives enfouies.
Visite de l'exposition DUBUFFET : devant les « Hautes-Pâtes », les « Paysages grotesques », les « Paysages géologiques », les portraits, les remarques des enfants, non sollicitées, jaillissaient, pertinentes et précises, savoureuses, une vraie fête. Ils entrèrent de plain-pied dans le monde de J. DUBUFFET.

Louis LE NAIN ou Georges DE LA TOUR

Avant de présenter ces peintres, j'envisagerais volontiers un travail sur les éclairages. L'obscurité ou la semi-obscurité est faite dans la classe. Avec une lampe ou une bougie, les enfants cherchent les différentes façons d'éclairer un visage : côté, face, contre-jour, éclairage frisant de face, éclairage frisant latéral, éclairage violent, diffus, proche, éloigné ; reflets, (écran blanc ou coloré) ; les modifications provoquées sur les visages sont observées et, si possible, photographiées.

Des photographies de visages seraient analysées du point de vue de l'éclairage.

Le même travail serait réalisé avec un personnage entier ; avec une draperie blanche ou grise, avec une draperie rouge, tombant de façon plus ou moins ample ou serrée.

Je procéderais par ailleurs, peut-être sous prétexte de prise de photographies, ou simplement d'observation, à un travail sur les attitudes : attitudes de travail brusquement figées, attitudes actives se transformant en attitudes de pose devant un spectateur ; groupements variables d'un nombre constant d'enfants...

Des adolescents pourraient être sensibilisés aux différents points de vue, de près, de loin, de haut, de dessus, aux différentes perspectives possibles.

Je ne pense pas qu'une telle démarche éclairerait toutes les virtualités d'un tableau de LE NAIN ou de LA TOUR, mais elle donnerait accès aux œuvres et, permettant le regard, favoriserait l'ouverture à d'autres significations et susciterait des « enquêtes » (historiques, littéraires) conduisant à celles-ci.

REMARQUE 1. Cette direction de recherches, à peine ébauchée, semble offrir beaucoup de possibilités. Elle permet à la personnalité de se structurer à partir d'une expérience vécue par le « regardant » et non de se couler dans des cadres reçus passivement par le spectateur. La sclérose du goût, le rejet des œuvres novatrices ou « déphasées » sont évités, toute œuvre d'art étant appréhendée comme un phénomène de rupture demandant une perception spécifique et renouvelée.

Ce travail comporte, certes, une part d'artifice : dans des classes ou l'enseignement artistique serait réhabilité, une telle préparation n'aurait pas lieu d'être ; il suffirait de présenter une œuvre en harmonie avec une expérience vécue récemment. Par exemple, les enfants de maternelle qui ont peint la mer, (voir p. 64), sont préparés à voir « les nymphéas ». Cette méthode serait à utiliser provisoirement, avec des élèves habitués à censurer leurs sensations visuelles, tactiles, gestuelles entre autres.

REMARQUE 2. L. PORCHER (14) propose une autre approche active et directe de l'œuvre d'art : devant une peinture, les enfants sont invités à s'exprimer oralement, corporellement, et même musicalement. Il ne s'agit pas de la décrire, ni de mimer l'attitude des personnages, mais d'exprimer les sensations qu'elle éveille, de vivre le rythme, les tensions, le mouvement propre du tableau.

Problèmes d'ordre pratique

LES MUSÉES.

Difficultés de la pratique du musée.

Bien qu'ils accueillent les groupes d'élèves ou étudiants de façon généralement libérale, les musées opposent à la contemplation des œuvres des obstacles difficiles à franchir. Je vais citer ceux qui me gênent quand je suis seule, et vont jusqu'à me décourager quand j'accompagne un groupe d'élèves.

— Les salles sont généralement bien trop vastes et contiennent des œuvres trop nombreuses et « tassées ».

— La présentation imposée par l'architecture est systématique, impersonnelle : tableaux situés à la même hauteur, tous visibles du premier coup d'œil. Pas de recoins, de niches, de dénivellations. Aucune surprise à espérer ni d'isolement possible.

— Le choix des peintures ne correspond pas au goût personnel d'un amateur ou collectionneur. Les œuvres sont déracinées.

— On se perd dans les grands musées ; il est très difficile d'atteindre une œuvre que l'on veut voir car la disposition évoquée ci-dessus n'a pas pour but de permettre un *repérage rationnel.*

— La station assise devant les œuvres n'est pas prévue ; il arrive qu'elle le soit à l'écart des œuvres.

Solutions utopiques ? à ces difficultés

— Humaniser la présentation des œuvres en utilisant les possibilités des locaux en ce sens. Le premier étage du musée du Louvre comporte des pièces de proportions agréables, intimes, claires, donnant sur la Seine, qui valoriseraient mieux les tableaux que les grands salons pompeux et aveugles. Le C.N.A.C. a beaucoup de charme, les lieux et l'ambiance sont hospitaliers. C'est le seul musée parisien où il arrive de rire et de plaisanter. Ne pourrait-il survivre à l'ouverture du musée G. POMPIDOU ?

Les lieux grandioses qui ont mal vieilli pourraient donner lieu à des aménagements inattendus (style J. DUBUFFET ou Niki de SAINT-PHALLE).

— Pratiquer une véritable écologie des « lieux d'art » : achat systématique, conservation et entretien des ateliers d'artistes devenus célèbres. Comme la poussière et les murs de plâtre manquaient à l'exposition GIACOMETTI de l'Orangerie ! Pourquoi ne peut-on voir (quand on peut la voir), la donation LAURENS dans l'atelier de celui-ci ? Pourquoi quelques tableaux de la collection particulière de PICASSO (article de Jacques MICHEL, journal « Le Monde » du jeudi 25 avril 1974) ne seraient-ils pas le centre d'un petit musée à l'emplacement de son atelier du Bateau-Lavoir ? Les touristes du monde entier qui viennent en pèlerinage au lieu où s'accomplit une des plus grandes révolutions picturales ne manqueraient pas de les visiter. Les promeneurs du dimanche en profiteraient aussi. Une telle politique assurerait le rayonnement culturel de la France (à laquelle les conservateurs de musée attachent, je crois, beaucoup de prix), ainsi que la démocratisation de la culture.

— Dans chaque salle de musée, il serait possible de consulter une documentation très approfondie et rationnellement classée sur les peintres et leurs œuvres exposées. Ce travail pourrait être fait par les étudiants en arts plastiques, esthétique et histoire de l'art, ceux de l'école du Louvre.

— Une initiative très heureuse apporte une aide aux visiteurs des expositions : le « petit journal », de prix modique et de contenu très éclairant sur l'artiste exposé. Chaque salle de musée, ou chaque peintre du musée, pourrait peut-être avoir son « Petit Journal ».

— Enfin : ne pourrait-on mettre quelques œuvres à hauteur des yeux des enfants ?

Solutions pratiques

— Avec une classe, préparée si possible, aller voir un seul tableau, deux ou trois au maximum, et s'y rendre directement.

— Faire asseoir les enfants par terre, devant le tableau à regarder : de cette façon, ils ne se fatiguent pas, ne bougent pas, leur attention n'est pas dispersée, ils ne se gênent pas mutuellement.

— La promenade dans le musée peut avoir lieu après, s'il reste du temps.

REMARQUE : la visite à un tableau devient ainsi une sorte de pèlerinage ; elle est le but d'un voyage à travers la ville. Je trouve cela logique, la fonction actuelle du Musée étant de conserver, tout en les proposant aux regards, des reliques, témoins de l'activité humaine. (Le Musée peut être autre chose, mais je parle ici de l'utilisation de ce qui est).

LES REPRODUCTIONS

Les plus simples à classer et les moins coûteuses sont les diapositives. On peut en commander à l'unité ou par séries d'après le catalogue du service commercial des musées nationaux, 10 rue de l'Abbaye, Paris, 75006.

Remarque importante : Une reproduction n'est jamais l'équivalent d'une œuvre. Considérée en elle-même, elle est un objet qui se substitue à l'œuvre, avec ses caractères spécifiques qui ne sont pas ceux de l'œuvre. C'est une image. Il faut donc éviter de créer dans l'esprit de l'enfant une confusion entre des objets qui appartiennent à des catégories différentes. Actuellement, on abuse des reproductions dans les écoles : le plus modeste original, réalisation d'un enfant, ou un mur nu, sont préférables.

conclusion

Au début de ce chapitre, la « culture » a été définie, d'après E. MORIN, comme un « système faisant communiquer — dialectisant — une expérience existentielle et un savoir constitué. »

LA PREMIÈRE ORIENTATION PÉDAGOGIQUE ÉTUDIÉE, L'« IMPRÉGNATION », essaie d'appliquer la recherche sociologique en reproduisant de façon systématique et intensive le type de communication liant le savoir constitué à l'expérience existentielle, pour les membres de la classe sociale détentrice du savoir constitué. Cette relation est en principe dialectisante : elle va du savoir constitué à l'expérience existentielle qu'elle modifie, (la vision de l'artiste modifie notre vision des choses), de sorte que la façon d'appréhender ensuite le savoir constitué s'en trouve modifiée. Si la relation est équilibrée, la personnalité se trouve enrichie, élargie, affinée. Si la relation est déséquilibrée : si l'expérience existentielle n'est pas assumée, vécue, le savoir constitué l'emporte, la personnalité se trouve appauvrie, limitée, (sclérose du goût), et même souvent remplacée par des moules creux. L'instauration d'une telle communication à l'école est d'autant plus délicate que, pour les enfants des classes défavorisées, le savoir constitué se greffe sur le vide : leur expérience existentielle n'ayant pas assimilé d'art consacré n'offre pas de prise et leurs acquis propres sont inutilisés et même ignorés.

LA SECONDE ORIENTATION PÉDAGOGIQUE OU « APPROPRIATION ACTIVE » essaie de résoudre ce problème en partant de certains acquis de l'expérience existentielle propre des enfants, susceptibles de donner prise au savoir constitué. Elle les réactive, et même les produit systématiquement en fonction du savoir à greffer. Le risque est ainsi moindre d'une relation non dialectisante, passive, ou même d'une absence de relation.

Dans les deux cas, le mot « culture » est pris dans le sens étroit de « culture cultivée ». Les pédagogies étudiées ont donc pour objet de transmettre le savoir constitué, c'est-à-dire l'art consacré par la société et détenu par les classes sociales privilégiées. Pendant ce temps, les éléments actifs de ces mêmes classes : les cadres et leurs enfants élaborent, un nouvel art qui met en question l'art consacré enseigné dans les écoles. Concrètement : pendant que l'avant-garde pédagogique initie à l'Impressionnisme et à Picasso, les « cadres supérieurs » mettent au point les moyens de développer la créativité dans l'entreprise ; leurs enfants, après s'être emparés de la bande dessinée et de la photo, vont à la conquête du « super 8 » et de la video. Bref, ils prennent en mains les moyens de production de la civilisation contemporaine et à venir, en particulier dans les domaines de la créativité et de l'image. La recherche artistique actuelle s'en trouve très marquée. Le processus qui renouvelle le « savoir constitué » se développant hors de l'école, la question qui se pose au terme de ce chapitre est la suivante : le retard du savoir scolaire ne se reproduira-t-il pas indéfiniment ; la démocratisation de la culture pourra-t-elle un jour aboutir ?

5

PARTIR
DE L'EXPÉRIENCE
DE L'ENFANT

une pédagogie
de la spontanéité
est-elle possible ?

Les orientations pédagogiques étudiées dans le chapitre précédent ne mettent pas en question le savoir constitué lui-même : est-il possible de nier la culture, ce qui revient à ignorer tout savoir constitué, pour ne prendre en considération, dans la relation éducative, que l'expérience existentielle de l'adulte et de l'enfant ?

Les expériences

D'éphémères *floraisons d'art enfantin* peuvent donner des résultats passionnants et qui paraissent non tributaires de la culture. Le processus en est très dynamique ; chaque nouvelle démarche bénéficie des structures et des savoirs élaborés lors des précédentes. L'expérience de l'expression et de la créativité s'accomplit dans un enthousiasme qui semble lui donner un dynamisme.

Evolution de ces expériences

Les expériences « marginales »

Le concours fortuit de circonstances qui avait permis à des enfants de créer, disparaît : le terrain vague laisse place à un immeuble ; l'adulte compétent en art qui s'était trouvé accidentellement disponible pour des enfants, et qui avait su favoriser leur créativité, s'en va ; c'est donc un concours de circonstances extérieur à la réalisation qui en provoque l'interruption.

L'expérience se déroule dans le cadre de l'école.

L'expérience n'est pas marginale et peut se poursuivre avec le même adulte, dans le même milieu. Au bout d'un temps plus ou moins long, il est possible de situer culturellement les résultats.

Essai d'analyse

L'expérience est marginale

Les stimulations du milieu et les besoins des enfants sont les moteurs de la démarche : quand les savoirs acquis au cours d'expériences antérieures se révèlent insuffisants, les enfants peuvent s'enquérir auprès de l'adulte compétent qui se trouve auprès d'eux du savoir dont ils ont besoin ; ou bien aller se renseigner auprès d'adultes plus ou moins proches, insérés dans la vie active ; ou bien observer des réalisations et s'en inspirer en fonction de leur projet qui peut d'ailleurs s'en trouver modifié. J'ai entendu parler à plusieurs reprises de réalisations architecturales, et ceci est explicable : en ce domaine particulier de l'art, l'enfant peut faire appel à la compétence des adultes de l'entourage et trouver des œuvres à observer. Il n'est pas possible de vérifier s'il pourrait aboutir à l'élaboration d'un nouveau savoir mettant en question le savoir constitué qu'il intègrerait néanmoins : un tel processus éducatif n'a jamais été poursuivi jusqu'à l'âge adulte.

La spontanéité dépend donc :

— des savoirs déjà accumulés par l'expérience existentielle, — savoirs au sens large : « anthropo-socio-ethnographique », plus ou moins marqués par les savoirs au sens étroit: « éthico-esthétique » ;

— des stimulations apportées par le milieu de vie au développement de l'expérience existentielle, stimulations elles-mêmes perçues en fonction du savoir ;

— des savoirs au sens étroit ou au sens large qu'il est possible à l'enfant d'acquérir grâce à ses « modèles », en fonction de ses besoins.

L'EXPÉRIENCE A LIEU DANS LE CADRE DE L'ÉCOLE

Le temps, l'espace, les stimulations du milieu dépendent de l'adulte qui provoque plus ou moins artificiellement les besoins de l'enfant. Celui-ci a des chances moins nombreuses de pouvoir utiliser les savoirs antérieurement acquis. Le savoir nouveau dont il pourra bénéficier sera fonction du « modèle » qu'est l'enseignant : l'adulte stimule par son exigence, aide à voir l'intérêt des démarches ou des résultats, en saisit les prolongements possibles. Bref, il est le moteur de la recherche qu'il marque fortement par sa culture au sens étroit ou large du terme.

Quand cette recherche cesse de progresser, piétine, se sclérose, sur les plans esthétique et technique, perdant son élan initial, le savoir des élèves est devenu égal à celui de l'« animateur », qui cesse d'être un modèle.

Ce plafonnement peut se produire dès l'école élémentaire. Même quand l'expérience existentielle est authentique, le dénuement total de savoir dans le domaine particulier de l'art incite l'adulte à proposer aux enfants des modèles sous-culturels. Ces refuges figent la recherche qui se répète et meurt. Le travail est souvent poussé plus loin dans les disciplines scientifique, géographique, historique : les enfants peuvent consulter l'enseignant qui détient un savoir, des adultes insérés dans la vie active, des ouvrages documentaires, etc... En art, ils sont démunis.

Si le professeur de l'enseignement secondaire possède une culture non évolutive, qui ne participe pas à la recherche contemporaine, on peut dater sa culture d'après le niveau de ses élèves dont il limite les recherches. Plus son savoir est vaste et d'un niveau élevé, plus ce « plafonnement » est retardé. L'opinion relativement répandue qu'une pratique de l'art non tributaire de la culture peut être enseignée est illusoire. Ne veut-on pas réduire le rôle du professeur de dessin à celui d'animateur ? Le professeur de dessin n'est pas plus un animateur que le professeur de français ou de

géographie. Nous sommes tous animateurs d'un besoin de se développer ; et l'ampleur de ce développement dépend de notre richesse intellectuelle et humaine, qui fait — ou ne fait pas — de
nous des modèles, quelle que soit la discipline enseignée.

Un autre cas intéressant de négation de la culture est celui de
Jean DUBUFFET : jamais la culture n'a été plus malmenée que par
ce peintre. Mais en fait, nul n'est plus cultivé que lui, ses articles
comme son œuvre peinte le montrent. Sa mise en question du
savoir constitué l'a amené à renouveler celui-ci par les apports
de l'art brut, du dessin d'enfants, de la « culture de l'homme
de la rue ». Mais il n'en est pas moins tributaire des recherches
antérieures aux siennes. Pour finir, l'œuvre de Jean DUBUFFET, pas
plus anticulturelle que d'autres recherches contemporaines, a été
« récupérée » par la « culture cultivée ».

Faire abstraction du savoir constitué semble donc une utopie et,
de plus, une utopie injustifiée : pourquoi se priver, dans le domaine de la recherche artistique, d'un apport essentiel ?

cultiver le savoir propre de l'enfant

Une autre façon de mettre en question la « culture cultivée »
consiste à mener l'action éducative, non pas en fonction du savoir
consacré à transmettre, mais en fonction du savoir propre de l'enfant. L'adulte cherche à développer les acquis constitués grâce
à l'expérience de chacun. Cette action est rendue possible par le
fait que les « mass media » imposent à tous des savoirs communs.
La « civilisation de l'image » nous imprègne d'imprimés, de publi-
cité, de bande dessinée, de photographie, cinéma, télévision.

La bande dessinée

Les possibilités éducatives de la bande dessinée commencent à être
utilisées, mais il semble que ce soit en général en fonction d'un
enseignement du français plutôt que d'un enseignement des arts
plastiques et visuels.

Les élèves-institutrices ayant été frappées, lors du « stage en situation » de trois mois qu'elles accomplissent au début de la seconde année de formation professionnelle, du désir intense, chez des élèves de cours moyen surtout, de savoir faire des bandes dessinées, nous avons commencé ensemble une recherche sur ce sujet ; la recherche a eu lieu au niveau du C. E. 1. En raison du manque de temps et de l'âge des enfants, quelques aspects seulement de la bande dessinée ont été abordés.

ELÉMENTS FORMELS DE LA BANDE DESSINÉE

Il est facile et amusant de reconnaître les différents aspects formels de la bande dessinée énumérés ci-dessous : ils sont présents dans tout album ou périodique de bande dessinée, publications à bon-marché comprises. Toutefois, celles qui sont destinées aux enfants présentent une pauvreté relative, due à un souci de simplicité, mais aussi au préjugé de la moindre exigence du public enfantin.

Formes et contours.

Les formes et contours présentent des tendances réalistes : vraisemblance ou déformation dans un sens expressif de la musculature, des proportions, des gestes, des détails du relief.

— A moins qu'ils ne soient, au contraire, schématisés et même élidés. Leur expressivité est due, dans ce cas, à l'économie des moyens.

— La qualité des tracés joue un rôle expressif important ou bien, au contraire, se fait inexpressive pour laisser l'effet d'impact à d'autres éléments .

Cadrage, montage et durée.

L'élargissement ou le rétrécissement des vignettes, leur montage, jouent un rôle expressif en imposant au lecteur le tempo de l'histoire racontée.

— Quand la régularité de l'ensemble se trouve rompue de temps à autre par une inégalité, — il arrive même que le cadre de la vignette soit brisé par un élément qui déborde, — l'accent se trouve mis sur un moment important, parfois dramatique, de l'action ; il y a rupture provisoire d'un rythme général.

— Quand le cadrage est systématiquement irrégulier, l'accent se trouve mis sur les variations du tempo de l'action. Le rythme peut être ralenti, rapide ; présenter des continuités de progressions, des ruptures qui sont l'endroit où un rythme succède à un autre :

elles sont parfois matérialisées par un fondu enchaîné ou une ellipse, (c'est-à-dire la suppression d'un moment de l'action).

La durée est donc rendue sensible par la succession des images dans une page, une double-page, l'ensemble de l'histoire, plutôt que par chacune d'entre elles .

Cadrage, montage et composition.

Il arrive que, outre le tempo de l'action, la disposition de l'ensemble des vignettes exprime une durée d'un autre ordre, réversible, et que le lecteur est libre de modifier selon les caprices de son « regard ». C'est le cas, en particulier, de certaines bandes dessinées contemporaines où les images débordent horizontalement ou verticalement sur plusieurs vignettes. De telles bandes dessinées, assez riches pour être regardées longuement, et diversement, sont composées de façon savamment décorative.

Prise de vue.

— Le sujet est vu sous des angles différents : de face, de profil, de dos. Selon cet angle, le décor peut se trouver totalement modifié : supposons une personne qui entre en ville. Vue de face, elle se détache sur un décor campagnard, vue de dos, elle est représentée sur un fond urbain.

— Le sujet est vu de plus ou moins près : panoramique, vue d'ensemble, plan moyen, gros plan, selon les besoins expressifs de l'action : la vue d'ensemble permet de situer l'action, le gros plan de traduire les sentiments d'un personnage au moment d'un temps fort, ou de montrer de près un détail important.

— Toujours en fonction de l'action, le rapprochement ou l'éloignement sont brusques ou progressifs : un personnage blessé rampe : le rapprochement, très progressif, exprime l'effort. Un personnage en reconnaît un autre : une vue d'ensemble nous montre un personnage au premier plan, l'autre au loin ; le champ de vision de la lunette d'un fusil, ou d'une paire de jumelles, occupe toute la vignette suivante et montre de près le visage du personnage éloigné ; une troisième vue, prise à moyenne distance, montre le saisissement du personnage proche à la suite de cette identification inattendue.

— La plongée : le sujet, vu de dessus, trahit sa faiblesse. .

— La contre-plongée : le sujet, vu de dessous, donne une impression de force ou de puissance.

La prise de vue permet de situer l'action ou ses éléments, ou bien elle joue un rôle expressif, comme dans les films ; c'est pourquoi elle est désignée par un vocabulaire cinématographique.

Typographie.

— Les contrastes de valeurs ou de taille de la typographie expriment des bruits, ou des changements brusques de sentiment.

— Les lettres tremblées expriment l'émotion.

— Les lettres déformées ou qui déterminent une figure d'ensemble expriment un bruit, un choc.

— Les lettres disposées selon une trajectoire figurent un mouvement.

— Les lettres d'un style typographique évocateur d'une époque indiquent un décalage dans le temps.

— Les bulles peuvent contenir des symboles de bruits ou des menaces. Par ailleurs, leur forme et leur emplacement sont fonction du texte qu'elles portent.

Mouvement.

— Les bandes dessinées enfantines comportent généralement le début et la fin de chaque mouvement.

— Quand les phases intermédiaires du mouvement sont représentées, le sujet est saisi dans les phases de déséquilibre, avec dominante oblique. La précision du dessin donne une impression de très grande exactitude.

— Il arrive que le sujet en mouvement subisse une déformation expressive due à ce mouvement ; parfois, une simple modification de détail, pied levé par exemple, suffit.

— La décomposition du mouvement intervient quelquefois , plutôt pour un détail que pour un personnage entier : mouvement d'une main représenté par la translation de 6 mains incomplètes...

— Le contour tremblé, interrompu, du sujet en mouvement ; ou le flou du décor alors que le sujet reste net, suggèrent le mouvement.

— La prise de vue peut jouer un rôle : plongée et contre-plongée, différence d'échelle, cadrage oblique, image coupée : le personnage est sorti de la vignette (on ne voit plus que le bas d'une jambe).

— Au contraire, l'image déborde de la vignette, brisant sa limite géométrique.

— Un contour supplémentaire étoilé, comme une bulle explosée, entoure le personnage ou l'élément recevant le choc.

— Les traînées, sillages, nuages, la typographie, décrivent des trajectoires expressives du mouvement, ainsi qu'une perspective lui donnant une dimension spatiale.

— La succession des différentes phases d'un mouvement sur des vignettes différentes, fait intervenir sa durée.

Espace.

— La perspective est omniprésente dans les bandes dessinées. Elle est accentuée afin de jouer un rôle directement expressif ou de conférer ostensiblement une vraisemblance aux situations. Dans bien des cas, tous les éléments du cadre et les personnages eux-mêmes, sont insérés dans un réseau de coordonnées mises en perspective cavalière. Même les bandes dessinées d'avant-garde dont l'espace, de prime abord, est déroutant, font appel à ce système perspectif, avec cette particularité que les directions verticales jouent un rôle important et sont légèrement fuyantes, suggérant ainsi une profondeur située vers le bas.

— Il arrive, au contraire, que la perspective soit escamotée ; les éléments sont vus de face ou de profil. Le réseau de coordonnées se réduit à deux directions : la verticale et une horizontale qui ne sont pas fuyantes. L'espace est suggéré : par des différences d'échelle entre les motifs ; par un premier plan qui rejette en arrière d'autres éléments ; par des successions d'ouvertures suggérant des emboîtements ; par des plans formant des écrans successifs ; par des superpositions de trajectoires, des bulles...

— Dans quelques cas, l'espace représenté par la bande dessinée ne comporte pas de coordonnées ni d'échelle de référence, et semble déstructuré. Un tel espace exprime une ambiance poétique, irréelle, au lieu de situer le cadre d'une action. Il se rencontre rarement.

La couleur.

C'est parfois, surtout dans la bande dessinée pour enfants, un coloriage quelconque.

— Elle joue un rôle dans la composition d'une page ou d'une double-page.

— Le plus souvent, son rôle est directement expressif : le rouge, le jaune, l'orange, suggèrent l'incendie, la force, la violence, les éclats ; le vert et le violet : la peur, une vision sinistre ; le gris ou une couleur discrète caractérisent un personnage en retrait, ne participant pas à l'action.

— Un contraste de couleurs traduit les chocs, les explosions, les temps forts.

L'éclairage.

Il est indiqué essentiellement par le jeu des couleurs et celui des valeurs.

— Un personnage éclairé de face et vu de face est de couleur et de valeur claires ; un personnage vu à contre-jour est de couleur sombre sur fond clair. Exemple : soit un personnage situé dehors, la nuit ; il parvient au seuil d'une pièce éclairée. De l'extérieur, il est vu en sombre ou bleu foncé sur fond clair ou jaune ; de la pièce, il apparaît en clair ou jaune sur fond bleu.

— Les zones éclairées, les faisceaux de lampes ou de phares, se détachent par leurs couleurs claires à dominante jaune sur le fond plus sombre, bleuté ou gris de la nuit.

— Les reflets : il en est fait grand usage dans les publications destinées aux adolescents et adultes. Ils rendent la lisibilité moindre en revêtant un objet de plusieurs couleurs et en reliant des objets différents par une couleur commune.

Valeurs.

— Les valeurs servent à indiquer l'éclairage.

— Dans les bandes dessinées à tendance réaliste, elles marquent les ombres.

— Dans les bandes dessinées à tendance décorative, elles servent à distinguer arbitrairement les différents éléments.

— Dans les deux cas, sur le plan esthétique, elles opposent des zones claires à des zones sombres, des zones chargées à des zones vides, des zones décorées à des zones simples, en un savant équilibre de la composition.

— Les valeurs peuvent servir l'expression des sentiments.

— Elles interviennent très peu dans les bandes dessinées pour enfants, à tendance linéaire et claire, et de façon très variable dans les autres bandes dessinées dont elles rendent la lecture plus difficile.

La bande dessinée peut évidemment donner lieu à des lectures plus savantes, mais le niveau auquel se limite cette étude a paru convenir à un début de recherches comme celles que nous avons menées.

UTILISATION PÉDAGOGIQUE DE LA BANDE DESSINÉE.

Thème.

Nous avons choisi un thème favorable : le déroulement d'une action se prêtait à une traduction en bande dessinée. Pour les enfants de cours élémentaire et débutants, l'action était simple, courte, et ne comportait pas trop d'épisodes ni trop de personnages. Selon les cas, les épisodes ont été énumérés, ordonnés, et leur succession inscrite au tableau ; le dessin devait les traduire. Ou bien, au contraire, le dessin matérialisait comment chacun avait compris la succession des épisodes. Il est indispensable que l'histoire soit très bien connue des enfants : il ne suffit pas de la lire une fois le matin ou juste avant de commencer le dessin. Il est également nécessaire d'apporter une documentation sur l'aspect des animaux qui entrent en jeu, par exemple.

Technique.

Si l'ambiance n'était pas déterminante pour l'histoire à figurer, la suppression de l'élément couleur permettait d'éviter la lassitude et la perte de temps dues au coloriage. Techniques proposées : feutre sur papier ou sur calque ; plume métallique ou allumette, ou brin de rotin, ou pétiole de feuille sèche, trempés dans l'encre ou le brou de noix, sur papier ou sur calque ; plume métallique sur pellicule photographique ou diapositives « ratées » trop claires ; épingle à tête sur pellicule photographique ou diapositives « ratées » trop noires, etc... Ces outils donnent un dessin au trait de technique « savoureuse », et quelques valeurs : les enfants n'ont pas tellement tendance à s'exprimer par des valeurs mais sont amenés à mettre du noir pour cacher les taches d'encre. Le calque et la pellicule peuvent être montés sur carton pour constituer des « diapositives ». Les « diapositives » ont l'avantage d'accentuer l'expressivité de la technique et des formes ; de permettre d'isoler facilement chaque vignette et de la projeter en grand devant les enfants ; d'être peu coûteuses (il faut toutefois acheter les montures en carton). Elles ont l'inconvénient d'imposer un dessin très petit, et, surtout, d'empêcher la projection simultanée de deux dessins en vue de leur comparaison, ceux-ci ne pouvant être projetés que successivement.

Réflexion sur les résultats.

La réflexion sur les résultats, dans les conditions artificielles de l'expérience, a dû être préparée longuement. Prendre connaissance d'une série de bandes dessinées demande du temps. Chaque dessin est désigné par une lettre, chaque vignette par un numéro. Dès que les enfants seraient un peu entraînés, il faudrait laisser les dessins à leur disposition pour qu'ils préparent eux-mêmes la confrontation pendant les temps morts, à la fin d'exercices par exemple. Dans le cas relaté, c'est nous qui devions déceler les vignettes dont la comparaison permettrait de sensibiliser les enfants à un problème précis.

Voici les problèmes que nous avons rencontrés et les développements auxquels ils ont donné lieu, chacun dans une classe différente : à partir des matériaux que constituaient les premiers résultats, nous avons cherché à développer des directions particulières.

La vraisemblance.

— Deux personnages en conversation sont représentés vus de face ; ou de profil, orientés du même côté, c'est-à-dire l'un tournant le dos à l'autre.

— Le mime de cette situation permet de faire acquérir la notion : « de face », « de profil », qui, dans cette classe, avait été étudiée recemment en vocabulaire ; mais que les enfants n'arrivaient pas à employer.

— Les enfants tournent autour des deux camarades en conversation pour voir quel est le point de vue le plus explicite, le plus facile à représenter.

— Les enfants les prennent en photo, en variant le point de vue et le cadrage. L'examen des résultats permettra de voir le caractère plus ou moins explicite ou expressif des prises de vue.

— L'on aurait pu découper des photos de personnages en conversation et analyser la prise de vue ; chercher de quoi est fonction l'expression de ces photos.

— Chercher, dans des bandes dessinées, des personnages en conversation et faire le même travail.

Représentation du mouvement.

— Les enfants ne représentent pas le mouvement, les personnages sont figés. Un seul enfant a représenté le mouvement d'un animal mettant en jeu tous les membres et même le corps. Au moment de la réflexion, son dessin aide à poser le problème.

— Le mime des situations aurait pu intervenir en cours de travail, pour « dégeler » les enfants.

— Après la réflexion sur les résultats, silhouettes articulées : les enfants déchirent des personnages ou animaux en pièces détachées.

Une patte ou un bras, mobile, peut prendre successivement plusieurs positions. Des photogrammes, ou vaporisations, ou frottages, permettent de garder la trace de ces métamorphoses dues au mouvement.

— « Dessin animé » : des albums miniatures comportent des personnages qui semblent bouger quand on feuillette rapidement les pages.

Déroulement d'un mouvement.

Dans la même classe, où les résultats avaient été particulièrement figés, un enfant avait décomposé les différents temps d'une action sur trois vignettes successives ; le fait n'a pas été exploité.

— Il aurait pu motiver une recherche du même ordre par l'ensemble de la classe,

— permettre de sensibiliser les enfants au rythme donné par la succession des vignettes,

— de prendre en photo les phases importantes du déroulement d'une action.

— Le prolongement cinématographique possible est évident.

Déformation expressive.

Les éléments qui agissent : pied qui frappe, mains qui discutent, sont grossis. Le corps est étiré en fonction de l'action. Exemple : le cavalier sur son cheval : « Ils ont la tête en avant et la queue dans le vent ». La déformation expressive apparaît souvent dans le dessin d'enfant, entraînant une « faute de proportions » que l'on blâme, que l'on fait rectifier ou, en mettant les choses au mieux, que l'on passe sous silence. D'un point de vue artistique, la déformation expressive est une réussite qu'il faut cultiver, non pas une maladresse.

— Elle peut donner lieu à des dessins très amusants, lors d'une recherche systématique de toute la classe.

— De grands enfants peuvent prendre des photographies de personnages, de façon à les déformer dans un sens expressif : raccourcis, effets de perspective,...

Ellipse.

Des enfants un peu entraînés à la bande dessinée font assez facilement des dessins expéditifs où tout n'est pas dit : seuls, les éléments significatifs sont figurés.

— Leurs trouvailles peuvent donner lieu à une recherche de toute la classe sur le dessin élidé, n'indiquant que les éléments indispensables à la compréhension et à l'expression.

— Les élidations peuvent être relevées dans des bandes dessinées ou dessins humoristiques.

— Il serait possible de faire des essais de « photographies élidées » en peignant les éléments significatifs de clair et le reste de sombre par exemple : des personnages vêtus de collants noirs, et de gants, masques, éventuellement souliers blancs, accomplissent des mouvements expressifs.

Schématisation.

— Quelques enfants figurent les personnages par des « bonshommes en fil de fer », ce fil de fer est, tantôt une sorte de squelette, tantôt une silhouette figurée par un contour continu.

— Un prolongement possible consisterait à faire des personnages réellement en fil de fer léger. Eventuellement, la souplesse du fil de fer permettrait de modifier leurs attitudes. (Prendre garde aux formes molles ou mécaniques, style corde armée).

La qualité du tracé.

Dans une classe, les enfants ont remarqué les « gribouillis rapides », les « traînées de peinture (qui) ont l'air de couler », « les chevaux (qui) ont été faits très vite, on dirait qu'ils galopent ».

Ces remarques ont conduit à des exercices où les enfants ont dessiné un cheval galopant dans des temps de plus en plus courts et comparé l'expressivité des résultats obtenus.

— Il aurait été intéressant d'examiner la qualité du tracé dans la bande dessinée.

Prise de vue.

Dans une classe, l'observation des premiers résultats entraîne une recherche sur les différentes prises de vue dans la bande dessinée, puis une application à la photographie de ce nouveau savoir. Le sujet est la cour de l'école.

— Ils ont pris une vue d'ensemble : « C'est pour savoir où ça se passe ».

— Une vue en plongée d'un enfant : « On rend celui qu'on prend petit », « minus », « on a l'impression qu'on l'écrase ».

— Une vue en contre-plongée de la cloche de l'école, puis d'un enfant : « il donne l'impression d'être le plus fort ». Commentaire d'une image de bande dessinée : « On se sent tout petit, ça fait peur ».

— Un gros plan des poubelles de l'école.

— Lors de l'exécution d'une nouvelle bande dessinée, leurs discussions étaient de cet ordre (ils avaient à représenter un renard dans un trou) : « On peut faire une contre-plongée si on est dans le trou ou une plongée si on regarde le trou ».

Espace, perspective.

La représentation de personnages situés sur des plans différents leur ayant posé des problèmes, les enfants ont pris des photographies qui leur ont permis les constatations suivantes : un personnage plus éloigné paraît plus petit. Un personnage encore plus éloigné paraît encore plus petit. Trois camarades de même taille, alignés frontalement, ont sur la photo les pieds et les sommets des têtes respectivement sur deux horizontales. Si l'opérateur s'éloigne latéralement et prend une nouvelle photo, les pieds et les sommets des têtes semblent respectivement alignés selon deux obliques.

Dans un autre C. E., l'observation des premiers résultats a permis de constater la variété des représentations d'objets situés dans l'espace : il s'agissait de deux bateaux se rencontrant sur la mer :

• bateaux situés frontalement et vus en coupe longitudinale ;

• bateaux situés l'un au-dessus de l'autre, l'un des deux volant au-dessus du niveau de la mer ;

• même chose, le bateau du dessus est posé sur la ligne d'horizon ;

• même chose, la ligne d'horizon est au-dessus des deux bateaux ;

• la mer occupe toute la vignette, le bateau situé au-dessus est en partie caché par celui qui est figuré au-dessous.

Les prolongements possibles de telles remarques n'ont malheureusement pas été exploités, faute de temps.

Couleur, éclairage, typographie.

Ces éléments sont groupés, non pas en raison d'une moindre importance que nous leur aurions attribuée, mais de leur absence dans les premiers résultats, mis à part quelques embryons de lettres décoratives aux feutres de couleurs.

Je suppose que pour faire apparaître ces problèmes, il faut les poser au départ de façon un peu directive :

— Couleur : Un personnage violent opposé à un personnage qui a peur.

Une action heureuse : soudain survient une inquiétude ou un événement tragique.

— Eclairage : Action située le soir, rendue visible par un faisceau
de lumière.

Là aussi, pour un début, il faudrait imposer de mettre la couleur
avant de dessiner.

— Typographie : Une personne dit une phrase, puis hurle une
autre phrase.

Une personne parle à voix basse, puis à voix
haute.

Une personne parle calmement, puis en trem-
blant.

CONCLUSION : Ce début de recherches au niveau du C. E. s'est révélé
enrichissant pour les enfants comme pour les adultes. Nous avons
remarqué que les enfants de C. E. 1 sont relativement peu impré-
gnés de bande dessinée. Cela nous donnait quelque difficulté au
départ, mais présentait l'avantage qu'ils n'esquivaient par les problèmes en se réfugiant derrière des clichés et trouvaient leur solution. Au niveau du cours moyen, il faudrait bien prendre garde de
donner un problème précis à résoudre si l'on ne veut pas que les
enfants récitent les bandes dessinées qu'ils connaissent.

Nous n'avons pas exploré, faute de temps, tous les prolongements
possibles de la recherche entreprise. Certains éléments : espace,
durée, couleur, lumière, typographie, valeurs, contour, cadrage,
montage, n'ont pas fait l'objet d'une étude systématique.

De grands enfants, des adolescents, aimeraient faire l'apprentissage de la représentation de corps en mouvement, vus en perspective, en raccourci ; de l'expression des sentiments par les physiono-
mies, les attitudes... De l'insertion d'un décor et de personnages
dans un réseau de coordonnées mis en perspective cavalière, etc...

Le travail à d'autres niveaux de lecture pourrait donner lieu à des
recherches passionnantes mais plus difficiles : contenu idéologi-
que, imagination, humour,... dans la mesure où ils sont traduits
par la forme.

Une telle pratique au niveau du « faire » conditionnera la richesse
de la pratique au niveau du « regard » : les enfants feront de la
bande dessinée une lecture considérablement affinée, enrichie ;
la bande dessinée perdra sur eux son pouvoir de fascination.

L'expérience qui vient d'être relatée n'a pas fait explicitement
référence à la « culture cultivée ». Ont seulement été évoqués.

la bande dessinée, le dessin humoristique, les photos de magazines, la photo, le cinéma, qui appartiennent à la culture dite « de masse ».

Mais c'est un fait connu que la bande dessinée elle-même se réfère constamment à la « culture cultivée » ; que nul n'est plus informé qu'un auteur de bande dessinée : le créateur de Tarzan s'est inspiré des compositions de MICHEL-ANGE, certaines bandes dessinées très actuelles reprennent la technique et les atmosphères de Gustave DORÉ et de BRESDIN ; et que le plaisir de la lecture des bandes dessinées est très « culturel ». Par ailleurs il aurait été possible d'indiquer, en regard de chacun des points étudiés, au cours des recherches des références à des œuvres d'art consacré et même, d'en faire part aux enfants. Par exemple, la recherche sur la représentation du mouvement pouvait se référer au « Nu descendant un escalier » de Marcel DUCHAMP-VILLON ainsi qu'à ses photogrammes et vaporisations ; les « frottages » sont empruntés à Max ERNST.

L'enseignant peut donc choisir d'initier, ou non, les enfants à ces œuvres. Mais, s'il n'est pas lui-même initié, l'enseignant ne saura pas stimuler les recherches. Il ne saura pas même les amorcer, faute de posséder les moyens qui lui permettraient de déceler, dans les travaux des enfants, les points susceptibles d'exploitation. L'enseignant ne peut aider l'élève à se développer que dans la mesure où il possède un savoir ; en retour, la stimulation donnée par l'enfant le place devant la nécessité d'accroître constamment ce savoir.

La photographie

La photographie, le cinéma, la télévision, entrent pour une part très importante dans le savoir de bien des enfants et des adultes. J'en parlerais avec ferveur : la photographie est une forme de recherche qui me passionne depuis longtemps et que je pratique un peu. Je n'ai pas de compétence particulière pour en parler méthodiquement, et voudrais simplement proposer quelques remarques :

TRAVAILLER DÈS MAINTENANT A INSTAURER UNE PÉDAGOGIE DE LA PHOTOGRAPHIE EST CHOSE RÉALISABLE. Quand le journal « Le Monde » évoque un pays où les étudiants pratiquent le cinéma ou la vidéo comme ils respirent, ce n'est évidemment pas de la France qu'il s'agit : notre retard dans l'enseignement des techniques audio-visuelles est alarmant. Il est un domaine où nous pourrions le rattraper à peu de frais, immédiatement : ceux d'entre nous qui n'ont pas une toute petite pratique de la photographie sont rares ; de nombreux enfants possèdent un appareil photographique ; reste le problème du développement et du tirage. Il y a souvent dans les écoles une pièce aveugle ou un sous-sol où l'on pourrait installer un laboratoire. Dans chaque lycée, la salle de dessin devrait en comporter un. En attendant l'achat d'un agrandisseur, il est possible de faire des contacts format 6/6. Il faut savoir qu'il existe, à l'échelon national, un stage de techniques audio-visuelles.

LA PRATIQUE DES DISCIPLINES D'ÉVEIL APPELLE LA PRATIQUE DE LA PHOTOGRAPHIE DOCUMENTAIRE. Progressivement, la classe découvrira la meilleure façon de photographier un document en fonction de son utilisation. Dans ce cas, la photographie sert à extraire de la réalité un document de travail ou un document-témoin.

LA PHOTOGRAPHIE FAIT PARTIE DE L'ENSEIGNEMENT DES ARTS PLASTIQUES ET VISUELS DANS LA MESURE OÙ ELLE PERMET DE TRADUIRE DES IMPRESSIONS PAR DES FORMES. Elle peut être le moyen par lequel s'incarnent les éléments formels exposés dans le chapitre 2. Pour s'en persuader, il suffit de photographier le même thème de façon à ce qu'il soit traduit par des valeurs, des effets de matière, un espace ou un modelé, des proportions, des rythmes, des tensions... La diversité des résultats obtenus est frappante. La photographie peut avoir un rôle, au même titre que les autres moyens matériels, dans le cadre des méthodes que j'ai exposées dans le chapitre 3.

L'EMPLOI DIRECT DU LANGAGE TECHNIQUE SPÉCIFIQUE DE LA PHOTOGRAPHIE EN FAIT D'EMBLÉE UN MOYEN D'EXPRESSION. Exemples : le flou dû à l'absence de mise au point, au mouvement du sujet photographié, au mouvement de l'opérateur... la surimpression, le photomontage, les trames, la solarisation, l'accentuation de la perspective, la déformation du sujet par le mouvement ou la prise de vue ou des ondulations du papier lors du tirage, etc... Les recherches de Pol BURY, John MEKAS et l'Underground, de WARHOL, de « l'Art Conceptuel », ouvrent des voies qui sont loin d'être épuisées.

CES DIFFÉRENTES PRATIQUES DE LA PHOTOGRAPHIE ONT POUR COROLLAIRE DE PERMETTRE DIFFÉRENTS REGARDS SUR LES IMAGES, conduisant à une compréhension plus riche.

NON SEULEMENT LA PHOTOGRAPHIE CONSTITUE UN SAVOIR DES ENFANTS ET ADOLESCENTS QU'IL FAUT DÉVELOPPER, MAIS ELLE EST UN DE LEURS INTÉRÊTS MAJEURS, dont il serait regrettable de ne pas tenir compte.

Partir de la culture de l'enfant n'est donc pas un rejet de la « culture cultivée », — mais bien une façon de se l'approprier. C'est même participer à l'élaboration d'une culture contemporaine. Peut-être même résout-on ainsi le problème de la transmission du savoir et de sa démocratisation.

CONCLUSION

Je livre au lecteur cet ouvrage incomplet. Des aspects fondamentaux tels que la formation artistique des enseignants, les rapports de la psychologie de l'enfant à l'enseignement du dessin, les rapports de la créativité et de la société n'ont pas été abordés : ils mériteraient un ouvrage à eux-seuls.

Sur le plan théorique, j'ai tenu dans le chapitre 2 des propos dont la simplicité confine peut-être à la caricature. Je suppose que mes erreurs entraîneront des protestations. J'aurai atteint mon but si cet essai servait à démontrer combien il est urgent de constituer un corps de propositions théoriques, — mais qui ne réduiraient pas l'art à quelque chose d'objectif : parmi les très nombreux enseignants intéressés par ce qu'ils croient être une « formation artistique », en est-il qui soupçonnent qu'un tel enseignement demande des connaissances particulières, autres que techniques ? — D'ailleurs la technique elle-même ne demande à leur avis ni connaissances, ni effort, ni intelligence. Ils la considèrent comme un don.

Sur un plan plus pratique, je serais heureuse de susciter, à défaut de pouvoir les conduire moi-même, des recherches pour élaborer :

— Une pédagogie de la créativité en art : veut-elle l'abondance ou le dénuement ? Quels sont les rapports de la créativité et de la culture ?

— Une pédagogie de l'imagination.

— Un enseignement de la photographie et du cinéma à tous les niveaux.

— Le lien entre dessin et mouvement, dès la maternelle.

Je crois même que de telles reherches risqueraient moins de trahir l'art que les recherches axées sur les problèmes de forme.

Je souhaiterais enfin susciter, à partir de ce canevas, un enseignement méthodique mené continûment depuis la maternelle. Qui veut s'y essayer doit savoir qu'il entreprendra, non pas une éducation, mais une rééducation. Voulez-vous permettre une pratique de l'art à un enfant de huit ans ? C'est comme si vous vouliez lui apprendre à marcher alors que depuis l'âge de deux ans on l'en aurait empêché et qu'on aurait censuré en lui le désir même de marcher, en lui imposant une toute autre façon de se déplacer.

Il faudrait donc des années avant de savoir ce qui résulterait d'un tel enseignement, s'il était pratiqué aussi méthodiquement et continûment que celui des mathématiques ou du français. On ne peut pas imaginer le niveau qu'il serait possible d'atteindre. Il y a fort à parier que le niveau serait tel que nous, professeurs de dessin, serions pris de court, et obligés de nous recycler précipitamment.

Il semble évident que la pratique des arts plastiques et visuels doit être enseignée par une personne sachant ce qu'a vécu l'enfant et comment il l'a vécu ; très proche affectivement de lui ; capable d'établir des liens entre le dessin et les autres disciplines : c'est-à-dire l'instituteur.

ANNEXE

Les problèmes matériels

Quel matériel est indispensable, comment peut-on se le procurer, est-il possible d'organiser la classe de telle façon que les enfants puissent s'exprimer plastiquement ? Cette annexe tente de répondre à ces questions, en tenant compte des réalités.

Le matériel acheté

Le matériel destiné aux enfants est de moins bonne qualité que le matériel destiné aux « professionnels ». On a intérêt à acheter petit à petit, chez un marchand spécialisé en « fournitures pour artistes », un matériel qui permettra du bon travail et fera beaucoup plus de profit. A condition qu'on l'entretienne bien ! Pour certains matériaux, j'indiquerai de très bonnes marques que je connais ; cela ne veut pas dire qu'il n'en existe pas de meilleures, ni qu'elles soient bon marché.

COULEUR

GOUACHE EN FLACONS DE PLASTIQUE : marque PEBEO

— valable pour un usage en grande quantité : monotypes, grattages,... ou pour un usage quotidien.

— non valable pour un usage occasionnel : obligation de secouer longuement chaque flacon avant de sortir la couleur.

Avantages : moins coûteuse en principe que la gouache en tubes de métal.

Inconvénients :

— manque de raffinement et de saturation des pigments colorés : couleurs à la fois trop vives et crayeuses, donnant des mélanges « sales »,

— séchage au contact de l'air si l'on conserve un flacon entamé,

— dépôt,

— gaspillage dû au dépôt sur les parois; ou bien obligation désagréable de les râcler.

GOUACHE EN TUBES DE MÉTAL : marque LINEL pour professionnels.

Avantages : pas d'évaporation, de dépôt, de gaspillage, quand les tubes sont entretenus.

Surtout dans les bonnes marques, intensité et saturation des pigments colorés.

Inconvénient : plus coûteuses.

Entretien : Des enfants, même très jeunes, peuvent se servir de tubes, si l'on veille à leur apprendre à bien les utiliser : pour sortir la couleur, appuyer sur l'extrémité effilée du tube ; enlever l'excès de couleur avant de remettre le bouchon ; rouler au fur et à mesure l'extrémité vide du tube. Ne pas redélayer de la gouache en tube qui est sèche : on use les pinceaux.

GOUACHES EN PASTILLES

Avantages

— faible prix de revient,

— conservation indéfinie,

— facilitent les mélanges et permettent un dosage subtil.

— entretien : aucun. Il est inutile et c'est même du gaspillage de laver les pastilles. L'utilisateur peut laver une toute petite surface au moment où il a besoin de couleur pure. Elles doivent être sales, des pastilles propres signifient qu'on ne sait pas s'en servir.

— rangement facile.

Inconvénients : Aucun, si ce n'est de ne pas permettre les techniques en épaisseur. Elles favorisent plutôt une technique légère, aquarellée, délicate. Les fabricants français ne font que des petites pastilles ; on en trouve de très grosses, avec un beau choix de couleurs, qui sont importées.

Utilisation : en début de travail, mettre avec le pinceau une grosse goutte d'eau sur chaque pastille, pour l'humidifier.

GOUACHES EN POUDRE : marque PEBEO.

Avantages
— faible prix de revient,
— conservation indéfinie.

Inconvénient
— médiocrité des pigments colorés,
— quasi impossibilité de faire des mélanges.

Utilisation : Au moment de délayer, mettre très peu d'eau au départ. Si la pâte durcit par évaporation, on peut la délayer à nouveau en ajoutant de l'eau : propriété qui rend possible la fabrication de palettes constituées de grosses pastilles de couleurs différentes, coulées dans des emballages de « petits suisses » vides.

GOUACHE SPÉCIALE POUR LES DOIGTS

Inconvénients : « attrape-nigauds », gaspillages de crédits. Les pigments colorés sont les plus pauvres et les plus vulgaires que j'aie jamais vus. La peinture avec les doigts n'a jamais demandé de gouache spéciale.

Avantages : n'intoxique pas vos élèves, s'ils en mangent ; mais le caramel non plus n'est pas toxique, ne coûte pas cher, et il a une belle couleur « caramel ».

AQUARELLE

Avantages : couleurs intenses, lumineuses, fixes.

Inconvénients : trop coûteuses pour les écoliers.
On peut se contenter de faire de la « gouache aquarellée », surtout avec les couleurs en pastilles, qui ne manque pas de charme.

ENCRES DE COULEURS

Avantages : prix abordable, très belles couleurs.
Inconvénients : couleurs non fixes : se modifient à la lumière.

ENCRES INDÉLÉBILES ou encres de Chine de couleur.
Marques PELIKAN, SENNELIER.

Avantages : très belles couleurs, fixes à la lumière.
Inconvénients : très coûteuses.

PEINTURE A L'HUILE

Avantages : utilisation infiniment plus aisée, plus souple, que celle de la gouache.

Inconvénients : plus coûteuse, demande des supports préparés, des temps de séchage, oblige à nettoyer les pinceaux. Couleurs parfois toxiques.

Mais si un enseignant veut en faire utiliser, cela ne présente, sur les plans artistique et technique, que des avantages.

Entretien des tubes : comme pour la gouache.

Précaution : Ne pas laisser en classe de solvant inflammable.

VERNIS GRAS OU « PEINTURE-VITRAIL » sur le verre, le plastique, le métal.

Evitez l'ignominie des faux-vitraux-des-ventes-de-fin-d'année : un vitrail se fait avec des morceaux de verre colorés dans la masse, juxtaposés, et maintenus ensemble par une armature de béton ou de plomb. A utiliser en larges taches franches, sans mélanges ni petits décors dégoulinants.

ENCRE TYPOGRAPHIQUE

— Soluble à l'eau : marque AQUALAC, LEFRANC.

Nettoyer avec une « poudre à récurer » et un chiffon « scotch brite ».

— Soluble à l'essence de térébenthine : marque SENNELIER.

Temps de séchage : trois heures.

OUTILS POUR LA COULEUR

PINCEAUX : très coûteux actuellement. Marques ISABEY, RAPHAEL.

— Les seuls pinceaux valables sont en petit gris pur, ainsi que les pinceaux « plume d'oie ».

— Il faut acheter de gros pinceaux. Vos élèves apporteront toujours assez de pinceaux trop petits. Seuls, les pinceaux gros ou petits de bonne qualité « font la pointe ».

Entretien : bien rincer après usage. En cours de travail, essuyer en tapotant sur un chiffon. En fin de travail, secouer vigoureusement : la pointe se reforme.
Laver au savon après le lavis à l'encre de Chine.

BROSSES : Il en faut des grosses et des petites. Acheter des brosses en soies de porc à poils longs, plus souples et qui reviennent moins cher à l'usage. La virole en cuivre n'est pas utile.

ROULEAUX

— en mousse de nylon pour la gouache,
— en caoutchouc pour l'encre typographique. Ce dernier est indispen-

sable pour les différentes sortes de gravure, les monotypes, certains frottages. Les élèves peuvent utiliser un seul rouleau à tour de rôle.

LE COUTEAU A PALETTE a des utilisations remarquables et ne coûte pas cher comparativement aux pinceaux. A défaut, on peut utiliser de vieux couteaux, mais ils sont moins souples que le vrai couteau à palette.

VAPORISATEURS : Marque LEFRANC, en plastique plus métal. Ils servent :

— à vaporiser la couleur : manière perfectionnée de « faire de la bruine » ; rincer en vaporisant de l'eau claire ;

— à vaporiser le fixatif à fusain ; rincer en vaporisant de l'alcool à brûler, aussitôt après usage.

On peut n'en acheter qu'un pour débuter ; les enfants l'utilisant à tour de rôle. Ne confier à des enfants jeunes que s'ils ne confondent pas souffler et aspirer.

PALETTES : Aussi *indispensables pour peindre* que les couleurs et les pinceaux. Beaucoup de boîtes de peintures forment palette. Eviter les palettes marquées de creux profonds : elles empêchent de doser les mélanges. Des assiettes ou des couvercles de grands pots de peinture en bâtiment sont d'excellentes palettes. *Un morceau de papier n'est pas une palette.*

Utilisation : Au début de la séance, les couleurs sont disposées *tout autour* de la palette, dans l'ordre suivant : jaune citron, jaune d'or, rouge vermillon, rouge carmin, brun, noir, bleu foncé, bleu clair à tendance turquoise, vert foncé, blanc. Le centre laissé libre, sera le lieu des mélanges.

Cette disposition présente l'avantage suivant : elle incite les enfants, (sans donner aucune notion technique sur les couleurs complémentaires, etc...), à oser mélanger avec une couleur celles qui se trouvent juste en face sur la palette : du vert avec du rouge, par exemple.

Remarque : Si vous avez besoin d'un beau violet, il faut acheter du violet de cobalt dans une marque de peintures pour professionnels.

Il est indispensable de « faire une palette » pour peindre. Cette habitude doit devenir un automatisme chez les enfants. Le travail sur la palette permet de doser les mélanges et les consistances. Ce n'est pas un gaspillage, même s'il reste de la couleur inutilisée en fin de séance. Quantité moyenne utile : « gros comme un haricot sec » de chaque couleur.

CHIFFON indispensable.

SEAUX : Il faut un seau rempli d'eau propre, un seau vide pour recevoir l'eau sale.

ENCRES

ENCRE ORDINAIRE, encre violette s'il en reste dans l'école.

ENCRE DE CHINE, marque PELIKAN.

Si vous disposez de peu de crédits, achetez-la par demi-litre ou par litre, elle durera très longtemps ; si vous avez des crédits, les cartouches reviennent cher mais sont pratiques.

BROU DE NOIX : En vente chez les droguistes ; très beau, très peu coûteux.

INSTRUMENTS GRAPHIQUES

CRAYON : Uniquement pour faire des dessins entièrement au crayon, pas forcément linéaires : ils peuvent être « gribouillés ».

Un papier découpé ne se fait pas avec un crayon ; de la peinture non plus ; un collage de graines, encore moins.

STYLO A BILLE : mêmes remarques.

LE PORTE-PLUME avec plume métallique est un excellent moyen technique.

FUSAIN : Très beau, très peu coûteux ; demande, comme la craie, à être fixé. Le fixatif conditionné en « bombes », est coûteux. Le fixatif acheté par litre, marque LEFRANC, ne revient pas cher. Le fusain s'efface en frottant ou en tapant avec un chiffon.

FEUTRES : Les faire utiliser le moins possible : ils donnent un tracé mécanique peu favorable à l'expression. Il n'y a aucune raison d'utiliser le feutre plus qu'aucun autre moyen technique. On en fait dans les écoles un abus désastreux pour l'expression enfantine.

CRAIES DE COULEURS : La craie à tableau n'est pas assez utilisée, c'est un moyen technique dont les possibilités sont assez riches et que les enfants apprécient beaucoup.

PASTELS A L'HUILE OU A LA CIRE : Ils permettent : les surfaces de couleurs ; les réserves : la couleur ne « mord » pas dessus ; le grattage : d'une couleur sombre passée sur une couleur claire.

BOUGIE pour exécuter les réserves.

LES PAPIERS

PAPIERS DE COULEURS, CARTONS, PAPIER BLANC : Très coûteux, en acheter le moins possible, le réserver comme un produit de luxe pour la vente de fin d'année, la fête des mères, les programmes.

PAPIER « INGRES » : Il est indispensable pour le fusain.

MOUCHOIRS DE CELLULOSE DE COULEURS : Une boîte, pour les collages transparents.

PAPIER DE COULEUR, POUR DUPLICATA : Ne pas en acheter, mais ne pas négliger de l'utiliser s'il y en a à l'école.

« CARTON A DOSSIERS » (bristol de couleur) : A proscrire : les couleurs et la matière en sont ingrates, c'est le plus mauvais support qu'on puisse utiliser pour les collages.

PAPIER GOMMÉ DE COULEUR : Proscrire à cause de la pauvreté de la matière et des couleurs. Dépense inutile.

FEUTRINE, RABANE : Proscrire pour les mêmes raisons que ci-dessus.

Les quatre matériaux qui viennent d'être cités sont typiques, comme le papier-crépon, du « style-patronage ». Ils dévorent inutilement, à des fins anti-éducatives sur le plan artistique, les précieux crédits.

OUTILS POUR COUPER LE PAPIER

CISAILLE : Chaque école devrait en posséder une, de la meilleure qualité. Cet outil permet de couper vite et impeccablement le papier.

« COUPE-TOUT » : Lame de métal amovible, placée au bout d'un manche ; remplace avantageusement la « pointe de relieur » quand l'enseignant ne sait pas l'aiguiser. Marque X-ACTO.

COLLES

GOMME ARABIQUE ou du Sénégal : On en trouve parmi les fournitures scolaires : elle donne un beau vernis aux couleurs.

COLLE RÉMI, COLLE CELLULOSIQUE : Peu coûteuses, conviennent pour coller le papier.

COLLE DE MENUISIER : Blanche au moment où on la pose, elle devient transparente en séchant. Peut s'acheter dans les drogueries par petites quantités, boîtes de 1, 5, et même 10 kilos. Se conserve très bien. Donne des collages d'une remarquable solidité. Eviter les taches sur le sol ou les vêtements, impossibles à nettoyer après séchage.

PINCEAU A COLLE : Languette de papier fort plié longitudinalement ; petite latte de bois que l'on jette après usage.

MATÉRIAUX POUR LA SCULPTURE

PLATRE : Ne coûte pas cher, surtout quand le père d'un élève travaille « dans le bâtiment ». Le plâtre ne peut se conserver plus de trois mois, délai au-delà duquel il est « mort », c'est-à-dire qu'il ne prend plus.

GLAISE

Achat : On la trouve chez les marchands de fournitures pour artistes ; un kilo de terre ne coûte pas cher, mais il en faut beaucoup de kilos pour réaliser des sculptures intéressantes. La même terre peut servir presque indéfiniment : les œuvres sont détruites en fin de travail.

A la campagne, on trouve de la glaise au moment où l'on creuse les fossés ; les enfants savent bien à quels emplacements elle affleure.

Conservation : Bien tasser, entourer d'un chiffon humide, puis d'un plastique. Ranger les paquets de terre ainsi enveloppés dans une poubelle en plastique, à couvercle.

Utilisation : Prendre garde à ne pas confondre le travail de la terre en vue de la poterie et le travail de la terre en vue de la sculpture : cette dernière ne demande ni colombins, ni lissages, ni barbotine ; la recherche de formes n'est pas la même. Quand les enfants ont déjà fait de la poterie, il faut les prévenir qu'il s'agit d'un travail différent.

Cuisson : La terre que l'on met à cuire ne doit pas comporter la moindre trace de plâtre. Généralement, les sculptures en terre ne se prêtent pas à la cuisson.

Faserit : Relativement coûteux ; excellent matériau, plastique, solide ; ne pose pas de problème de conservation ni de cuisson.

Fil de fer et grillage, galvanisés : Pour armer les travaux en plâtre.

OUTILS POUR LA SCULPTURE

Gradines en bois pour le travail de la terre. A la campagne, on peut les fabriquer soi-même dans une branche de hêtre ou de buis. La gradine est un outil qui détermine des plans.

Pince démultiplicatrice a découper la tôle : Acheter une pince de bonne qualité. Se faire montrer la façon de la tenir par le marchand ou par un couvreur.

« Soudure a froid » : Soude le métal (ou plutôt le colle). Veiller à ce que les enfants lisent et mettent en application le mode d'emploi.

Gouges pour travailler le lino et le bois. Prendre du métal de bonne qualité.

Marteaux pour usages variés.

MATÉRIEL ANNEXE

Appareil a pyrograver ; appareil a sculpter le polystyrène : Ces appareils sont obligatoirement coûteux car ils comportent un transformateur de courant électrique. Choisir un appareil de bonne qualité, avec des accessoires robustes et faciles à remplacer. Donner aux enfants l'habitude de poser la pointe ou la gouge rougies ailleurs que sur le fil électrique plastifié.

Le matériel récupéré

COULEUR OU PATE COLORÉE

Terres de différentes couleurs, plâtre et ciment morts, brique ou charbon écrasés, cendres, miettes, sable, sciure..., mélangés à de la colle.

OUTILS POUR LAISSER DES TRACES

Vieilles éponges débitées en petits cubes ; vieilles brosses ; chiffons ; allumettes, débris de cageots, petites branches, fragments de roseaux ; plumes d'oiseaux ou de volailles ; clous ; vieux couteaux.

SUPPORTS POUR PEINTURE ET COLLAGES, MATÉRIAUX A COLLER

CHIFFONS : Tissus « modestes » : les tissus d'ameublement à gros motifs voyants sont d'une utilisation difficile ; ne pas craindre les trous ni les reprises : les enfants savent en tirer des effets intéressants. A la campagne, on trouve de vieux sacs en toiles de jute de textures variées.

PLASTIQUE blanc, translucide, transparent, coloré ; « sacs-poubelle » ; cylindres des bouteilles de lait développés...

PAPIERS : La liste des papiers d'emballage est infinie, je cite quelques exemples : papier de la teinturerie, de la boucherie, du marchand de légumes ; papiers translucides qui entourent les fruits et primeurs ; papiers de bonbons ; sacs de grands magasins ouverts et dépliés ; papier bleu ou beige qui enveloppe les fournitures scolaires ; papier kraft ; papier carbone usé ; journaux de toutes sortes, photos de revues en couleurs ; papiers de verre, disques de ponceuse usés ; pellicule photographique « ratée », etc... Ne pas négliger, au contraire, rechercher, les papiers chiffonnés. Les papiers récupérés auront toutes les textures, toutes les nuances subtiles de couleurs, tous les grains, tous les formats, toutes les formes.

CARTONS : de toutes les épaisseurs, formats, qualités, matières, couleurs. Le carton ondulé se prête à de multiples utilisations. Celui dont les ondulations sont comprises entre deux feuilles de papier, est le meilleur support pour les collages : il se courbe très peu sous le jeu des tensions.

MATÉRIAUX A GRAVER

Ardoises de toiture mises au rebut ; zinc neuf : demander des chutes à un couvreur ; polystyrène expansé ; isorel mou ; planchettes ; couvercles en bois ; carton ondulé ; briques réfractaires.

MATÉRIAUX A ASSEMBLER

Bouchons ; polystyrène ; fils, mécanismes, pièces de métal ; chutes de tôle rouillées ou non ; chutes de menuiserie, d'ébénisterie ; emballages de plastique ou de carton...

RÉCIPIENTS

Garder en réserve des fonds de bouteille d'eau minérale et de lait : ils serviront de contenants pour la colle de menuisier, et les autres colles, le lavis, les encres de couleurs, les mélanges divers. Les jeter sans scrupule quand leur nettoyage demanderait du temps.

CHIFFONS

Sont des instruments de travail et de nettoyage. Il faut toujours en avoir une certaine quantité en réserve.

GÉNÉRALITÉS

L'abondance du matériel de rebut qui caractérise notre civilisation est une manne qu'il faut saisir. Dans les grandes villes surtout, des tonnes en sont jetées chaque jour. Les enfants seront ravis de l'apporter et de l'utiliser. Je ne cache pas qu'il faut du temps et de l'énergie pour le collecter, débiter, mettre à plat, trier, ranger de façon organisée.

Installation générale

UTOPIE

Une salle-atelier, dont je désigne les quatre murs par les lettres A, B, C, D.

MUR A : Tableau métallique tout le long. En-dessous de ce tableau, isorel mou ignifugé affleurant au même niveau. Au-dessus du tableau, une large planche pour ranger le matériel de récupération en attente.

MUR B : couvert jusqu'au sol d'isorel mou.

Meubles de rangement disposés en épi, de façon à ménager des ruptures et des recoins. Leurs portes et parois peuvent servir comme supports verticaux à peindre.

Mur C : Tout le long de ce mur, des éviers profonds ; nombreux robinets. On voit parfois dans des écoles des lavabos en tôle émaillée qui seraient parfaits.

Au-dessus, un rayonnage avec de nombreuses cases de dimensions variées, pour ranger les travaux en cours.

Mur D : Fenêtres.

Au centre : Quelques grandes tables mobiles sur trétoaux ; les sièges, légers, peuvent être empilés.

Au plafond : De grands séchoirs à linge.

Un écran qui peut se dérouler devant un mur.

Réserve aveugle, installée en laboratoire-photographique, avec un évier à deux bacs.

RÉALITÉ

Les enfants sont généralement debout. On leur permettra de s'asseoir pour les réalisations de petit format quand ils auront perdu la désastreuse habitude d'appuyer le côté de la main sur le support. Ils revêtent, en début de séance, une « blouse-à-dessin » : chemise d'homme usée dont le col et les poignets ont été coupés et remplacés par un élastique. Le boutonnage devant étant cousu, on enfile cette blouse par la tête.

Les supports

Occuper tous les plans horizontaux et verticaux disponibles.

« Coins-peinture » permanents, protégés jusqu'au sol d'isorel mou, ou, à défaut, de papier-kraft épais et solidement fixé qui restera là, couvert de taches et de couleurs.

Les plans horizontaux sont protégés de journal épais, qui présente les avantages suivants : prix de revient nul, entretien nul (se jette en fin de séance) ; bien plat et absorbant : couleur discrète qui ne lutte pas avec les réalisations des enfants.

Eviter le plastique avec ses plis mous, ses couleurs souvent criardes, la nécessité de le nettoyer et de le ranger.

Le matériel

Organisation : Réfléchir à une organisation rationnelle du rangement. Les enfants, consultés, seraient très collaborants. Mettre dans des cartons, sur les armoires, le matériel inutile, pour faire place à celui qui sert.

Les outils : Ciseaux, rouleaux-encreurs, règles-plates, pinces... sont disposés sur des panneaux verticaux, comme dans les ateliers d'artisans : tous les outils sont ainsi à portée de la main ; d'un seul coup d'œil, on vérifie que tout est rangé, propre, et qu'il ne manque rien. Ces panneaux peuvent se trouver à l'intérieur de portes de placards ou derrière des tableaux pivotants.

Les pinceaux, crayons,... sont mis verticalement dans des bocaux.

Les flacons : Des tiroirs ou des plateaux permettent de sortir à la fois tous les récipients, de prendre l'un d'entre eux sans avoir à déplacer ceux qui sont devant.

LES REPRODUCTIONS

Les diapositives : Dans des « paniers », eux-mêmes contenus dans des boîtes bien fermées. Sur le couvercle, liste par ordre alphabétique.

Les reproductions : Si possible, toutes sur papier de même format. Nom de l'auteur écrit lisiblement, en haut à droite. Classement par ordre alphabétique.

Dispositions particulières

TRAVAUX SUR PAPIER

FIXATION DU PAPIER : Très solide, avec du scotch, des punaises ou des aimants selon les cas. Mais il ne doit pas bouger, ce n'est pas à l'enfant de le maintenir avec sa main. Sur les plans verticaux, les supports sont mis à la hauteur des mains plutôt qu'à celle des yeux.

PALETTE : La palette est tenue à la main, ou posée sur un siège, à portée de l'exécutant.

LAVIS d'encre de Chine ou brou de noix. Quatre récipients : 1, 2, 3, 4. Un demi-centimètre d'eau, pas plus, dans trois d'entre eux. Dans le numéro 1 : 2 gouttes d'encre ; dans le numéro 2 : 4 gouttes d'encre ; dans le numéro 3 : 6 gouttes d'encre ; dans le numéro 4 : du noir. Un pinceau est attribué à chaque récipient. Le lavis est jeté en fin de séance : il ne se conserve pas. Plusieurs enfants peuvent utiliser le même jeu de récipients. Le lavis est une technique particulièrement intéressante, d'un faible prix de revient.

TRANSPARENCES : Les supports transparents : plastique ou papier, sont fixés sur les fenêtres ; les enfants colleront les éléments de plastique ou papier dessus. Ils aiment beaucoup cette disposition qui les isole, face à leur travail. Il n'est pas question de faire une telle réalisation à plat sur une table, en la soulevant de temps en temps pour voir ce que « donne la transparence » : la réalisation perd tout son charme, c'est l'échec assuré.

MONOTYPES : Installer un poste de monotypes sur une table. La gouache ou l'encre sera étalée sur un plastique rigide ou une plaque de verre de format légèrement inférieur à celui du papier si on ne veut pas que les enfants se salissent les mains. Les monotypes sont suspendus pour le séchage au fur et à mesure de l'exécution, et non posés sur les meubles environnants. Les enfants viennent à tour de rôle faire leur monotype.

VAPORISATIONS, ENCRAGE : Si l'on ne possède qu'un, deux ou trois vaporisateurs ou rouleaux encreurs, installer un poste de vaporisations ou d'encrage. Les enfants s'y rendent successivement. Les rouleaux-encreurs demandent à être nettoyés impeccablement en fin de travail ; il n'est pas du tout utile d'en donner un à chaque enfant.

TRAVAUX EN VOLUME

Sur un support bien protégé. Si possible, tourner autour de la réalisation, afin de la voir sous tous les angles.

TRAVAIL DU PLATRE : Très salissant, demande beaucoup de précautions et quelques notions techniques. Il ne faut pas s'y aventurer sans initiation préalable.

TRAVAIL DU POLYSTYRÈNE : Très facile au contraire. Prévoir un balai, une grande poubelle-non-ajourée. Eviter les déplacements en cours de travail. En fin de séance, balayer d'abord le dessus des tables, puis le sol en allant du pourtour vers le centre de la salle. Eviter de conserver longtemps du polystyrène dans la classe.

TRAVAIL DE LA TERRE : La table est protégée ; la réalisation posée sur une petite plaque d'isorel. En principe, la sculpture ne se cuit pas, elle devient laide en séchant. Pour en garder le souvenir, prendre une photographie au moment où elle vient d'être achevée. Les sculpteurs professionnels prennent un moule de leurs œuvres en terre.

TRAVAIL A LA GOUGE : Ne jamais placer la main devant la gouge ; c'est une habitude à prendre dès le début de l'apprentissage.

TACHES ANNEXES

SÉCHAGE : Des ficelles accrochées aux tuyaux ; des pinces à linge. Installation perfectionnée, si vous faites de l'imprimerie et beaucoup de gravure : séchoir à linge suspendu et coulissant.

NETTOYAGE A L'EAU : Nettoyer les palettes à l'eau, avec une brosse, dans un seau.

NETTOYAGE AVEC UN SOLVANT : Râcler avec un couteau à palette, puis essuyer le plus possible à sec, avec un chiffon, sans aucun produit. C'est seulement après cette première phase qu'on utilise le solvant. Si l'eau savonneuse doit intervenir, c'est seulement après l'action du solvant, jamais en même temps. Le plus sûr, avec les enfants, est de faire le nettoyage loin du poste d'eau.

FIXAGE DE LA CRAIE ET DU FUSAIN : Protéger largement un plan vertical ; placer à côté : un verre avec du fixatif, un vaporisateur. Chaque enfant vient à tour de rôle, place son dessin sur le panneau, fait une vaporisation sur toute la surface, repart. Il reviendra une deuxième fois quand ce sera à nouveau son tour. Bien organisé, ce travail va vite.

INSTALLATION, RANGEMENT : En début de séance, tout le matériel scolaire est rangé dans les cartables : les tables et les bancs sont libérés, les livres à l'abri, les crayons et double décimètres hors de portée, dans les trousses, ce qui évite d'en interdire l'utilisation.

C'est à l'enseignant de faire en sorte que les enfants prennent tout en charge, même l'organisation. Certaines opérations demanderont un apprentissage strict : bien fermer les couvercles, bien visser les bouchons, maintenir les pas de vis propres, rincer les pinceaux, nettoyer les outils, balayer... Les enfants participent d'autant mieux à l'organisation qu'ils l'ont eux-mêmes décidée, essayée, critiquée, mise au point. Le rôle de l'enseignant est de garder sa disponibilité afin de suivre les activités de chacun et pouvoir intervenir rapidement.

BIBLIOGRAPHIE

1. BEAUDOT A. — *Vers une pédagogie de la créativité*, éditions E. S. F., Science de l'Education, 1973.

    « Qu'est-ce que la « créativité » ? Comment peut-on la mesurer ? Une pédagogie de la créativité est-elle possible ? » Tel est le propos de ce livre précieux par son analyse limpide — déduite d'une approche du processus créateur — de notions souvent entrelacées : imitation et création, expression et communication ; imagination créatrice, créativité, création et invention.

2. BERGER R. — *Découverte de la peinture*, livre de poche Marabout-Université, 3 volumes, 1969.

    Ce livre essaie de répondre au besoin du public « de connaître et aimer avec discernement » la peinture : l'auteur propose des orientations et une méthode rigoureuse qui permettront une approche valable de l'œuvre d'art. La dernière partie de l'ouvrage met en application ces principes à l'étude détaillée de quelques œuvres.

3. BERGER R. — *Art et communication*, Casterman/poche, collection « mutations-orientations », 1972.

    R. BERGER étudie les problèmes que pose l'introduction de l'étude de l'art à l'école. La connaissance de l'art commence par une expérience au niveau du corps, expérience possible dans la mesure où l'art n'est pas préalablement conceptualisé pour être transmis à des fins éducatives. D'autre part, l'expérience actuelle de l'œuvre d'art est fonction de la technologie : reproduction industrielle, moyens audiovisuels... L'œuvre d'art comporte donc une part irréductible aux modes d'acquisition, de diffusion et de transmission scolaires traditionnels.

4. BOURDIEU P. et DARBEL A. — *L'amour de l'art*, les éditions de Minuit, 1969.

    Ce livre, après une description des facteurs sociaux qui déterminent ou favorisent la fréquentation des musées — assimilée à « l'amour de l'art » —, étudie les conditions de l'exercice de la « pratique cultivée » et de l'accès à cette pratique. L'analyse de la genèse et de la structure de la *disposition sociale à l'égard des œuvres d'art* réfute la notion de « don ». L'école, au lieu de renforcer le privilège culturel des classes socialement favorisées, pourrait l'abolir en faisant acquérir systématiquement et méthodiquement les « schèmes de perception, de pensée et d'expression » conditionnant l'accès à la pratique culturelle.

5. *Travaux de la commission ministérielle de psychologie et de pédagogie, L'éducation esthétique.* I.N.R.D.P., Brochure numéro
57 TC, SEVPEN, 1971.

Après avoir défini les finalités et dégagé les principes d'une
éducation esthétique, les auteurs proposent quelques moda-
lités d'éducation musicale, corporelle, plastique, poétique.
« Toute activité artistique a pour instrument privilégié le
corps ». Cette brochure mérite d'être lue et relue : elle aide
à réfléchir sur les options fondamentales de l'éducation
esthétique.

6. DUBUFFET J. — *Prospectus et tous écrits suivants*, (2 tomes),
éditions Gallimard, 1957.

Les vues de J. DUBUFFET sur l'art sont la matière de ce livre
passionnant. Il démystifie la culture ; consacre de nombreuses études à l'« art brut » ; analyse ce qui, à ses yeux,
caractérise l'art : en des phrases vigoureuses, imagées, inattendues, il rend sensibles les notions d'esthétique les plus
complexes, les plus difficiles à saisir. Sa réflexion porte
aussi sur sa propre recherche dont il décrit le processus et
nous livre en partie le sens.

7. FAURE E. — *Histoire de l'art : l'art unique, l'art médiéval, l'art
renaissant, l'art moderne,* le livre de poche, 1964.

Le ton passionné de cet ouvrage un peu ancien, — il fut
écrit de 1909 à 1920 — surprend, puis emporte le lecteur
E. FAURE voulait faire partager la joie qu'il ressentait
devant les œuvres d'art et, par la description à la fois poétique et rigoureuse de leur apparence, en déceler la signification. La synthèse historique qu'il a réalisée est, encore
actuellement, un des meilleurs ouvrages d'initiation à l'art.

8. FOCILLON H. — *Vie des formes,* Presses Universitaires de France,
1964.

H. FOCILLON décrit comment vivent les formes : elles sont
le lieu d'interprétations différentes ; elles se métamorpho-
sent selon les styles ; elles définissent l'espace ; elles s'incarnent dans la matière, portent les marques de l'activité
humaine ; l'activité même de l'esprit produit des formes qui
deviennent œuvres d'art dans la mesure où elles entrent
dans un monde puissamment concret. Ce petit ouvrage
condense une des réflexions les plus intelligentes et les plus
sensibles auxquelles l'art ait donné lieu.

9. FONTANEL-BRASSART S., « Education artistique et formation globale », *Cahier de pédagogie moderne*, 49, Librairie Armand
Colin, collection Bourrelier, 1971.

L'auteur relate les séquences d'éducation artistique vécues
avec ses élèves, dans le cadre d'un C.E.S. La sensation est
le point de départ de toute expression, elle permet d'accéder
à une observation véritable de la réalité, et à la compréhension des œuvres d'art. Dans les conditions les plus défavorables : pauvreté de l'environnement immédiat ; ignorance
du vécu personnel et même scolaire des enfants,
S. FONTANEL-BRASSART tire parti avec ingéniosité de leurs

sensations immédiates et les suscite. Elle redonne son importance fondamentale à leur expérience gestuelle, motrice, sensorielle.

10. KLEE P. — *Théorie de l'art moderne*, Editions Gonthier, collection Médiations, 1964.

Ce livre donne un aperçu de différents aspects de la pensée et de l'art de P. KLEE : quelle est la fonction de l'artiste ? Comment se situe-t-il dans la nature ? Une œuvre rigoureusement construite et agencée peut-elle exprimer un monde irrationnel ?

11. MORIN E. — *De la culturanalyse à la politique culturelle*, Revue « Communications » numéro 14, Editions du Seuil, 1969.

Après la recherche d'une définition de la culture, assez large pour englober les diverses interprétations de ce mot, l'auteur décrit les caractéristiques de la « culture cultivée » et de la « culture de masse », situées dans leur contexte social et politique. Cette analyse complète et très éclairante aboutit à l'étude des problèmes que pose la politique culturelle.

12. PANOFSKY E. — *Essais d'iconologie*, Editions Gallimard, 1967.

Dans l'introduction de cet ouvrage, E. PANOFSKY expose avec rigueur et luminosité sa méthode d'interprétation des œuvres d'art. La lecture de ces pages si denses suffirait à combler le lecteur. Les essais qui suivent, consacrés aux métamorphoses des traditions antiques à travers les thèmes humanistes de la Renaissance, mettent en application les principes de l'iconologie et permettent de ne pas se donner une idée simpliste de celle-ci.

13. PASSERON R. — *L'œuvre picturale et les fonctions de l'apparence*, Vrin, 1962.

Ce livre donne une vue très complète du fait pictural : R. PASSERON montre comment les moyens matériels utilisés, la technique, la vision personnelle du peintre, concourent à son élaboration ; il étudie chacun des éléments formels de l'œuvre achevée pour montrer leur interdépendance, poser le problème de leur signification et des rapports de la peinture avec la nature.

14. PORCHER L. (sous la direction de). — *L'éducation esthétique, luxe ou nécessité ?* Armand Colin, 1973.

Cet ouvrage, destiné aux praticiens, commence par une justification de l'éducation esthétique. Puis, chaque aspect de cette éducation : poésie, dessin, théâtre, danse, travail manuel, art audio-visuel, est traité par un spécialiste qui en expose les principes et les illustre par des expériences.

15. STERN A. — *L'expression*, Delachaux et Niestlé, 1973.

L'auteur définit l'expression, il étudie les conditions qui lui permettent de se manifester et celles qui la détruisent. La lecture de cet ouvrage violent, donne à réfléchir sur cette fonction de l'expression que notre civilisation revendique d'autant plus qu'elle la malmène.

ACHEVÉ D'IMPRIMER EN OCTOBRE 1971
SUR LES PRESSES DE LA SOCIÉTÉ
D'EXPLOITATION DE L'IMPRIMERIE
LIENHART & Cie - 07200 AUBENAS
DÉPÔT LÉGAL : 4e TRIMESTRE 1974
NUMÉRO D'ÉDITION : 886 ED 698
Imprimé en France